A-Z SWINDON

C000056698

CONTENTS

Key to Map Pages	2-3		7
Large Scale Town Centre Pages	4-5		2

REFERENCE

Motorway	**M4**	Car Park (selected)	P
A Road	A419	Church or Chapel	†
B Road	B4534	Fire Station	■
Dual Carriageway		Hospital	H
One-way Street	⇒	House Numbers (A & B Roads only)	68 1
Traffic flow on A Roads is also indicated by a heavy line on the driver's left.	⇒	Information Centre	i
Restricted Access		National Grid Reference	410
Pedestrianized Road		Park & Ride	Wroughton P+R
Footpath		Police Station	▲
Track		Post Office	★
Residential Walkway		Toilet: without facilities for the Disabled / with facilities for the Disabled	▽ ▽
Cycleway (selected)		Educational Establishment	
Railway — Heritage Station / Station / Level Crossing		Hospital or Hospice	
Built-up Area	UNION ST.	Industrial Building	
Local Authority Boundary		Leisure or Recreational Facility	
Posttown Boundary		Place of Interest	
Postcode Boundary within Posttown		Public Building	
Map Continuation 10 / Large Scale Town Centre 5		Shopping Centre or Market	
		Other Selected Buildings	

SCALE

Map Pages 6-37 1:15,840

0	¼	½ Mile
0	250	500	750 Metres

4 inches (10.16 cm) to 1 mile   6.31 cm to 1 kilometre

Map Pages 4-5 1:7,920

0	⅛	¼ Mile
0	100	200	300 Metres

8 inches (20.32 cm) to 1 mile   12.63 cm to 1 kilometre

Copyright of Geographers' A-Z Map Company Limited

Head Office:
Fairfield Road, Borough Green, Sevenoaks, Kent TN15 8PP
Telephone: 01732 781000 (Enquiries & Trade Sales)
          01732 783422 (Retail Sales)
www.a-zmaps.co.uk

Ordnance Survey® This product includes mapping data licensed from Ordnance Survey® with the permission of the Controller of Her Majesty's Stationery Office.

© Crown Copyright 2004. All rights reserved. Licence number 100017302

Copyright © Geographers' A-Z Map Co. Ltd.

Edition 4 2004, Edition 4A 2005 (Part Revision)

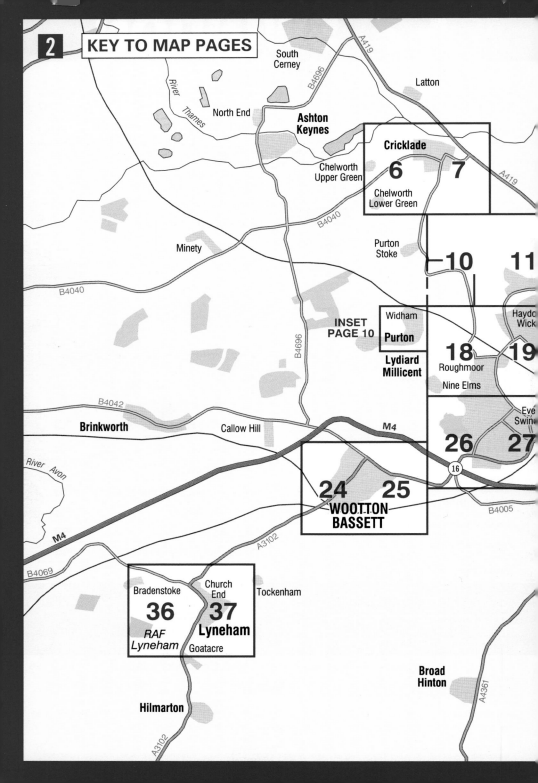

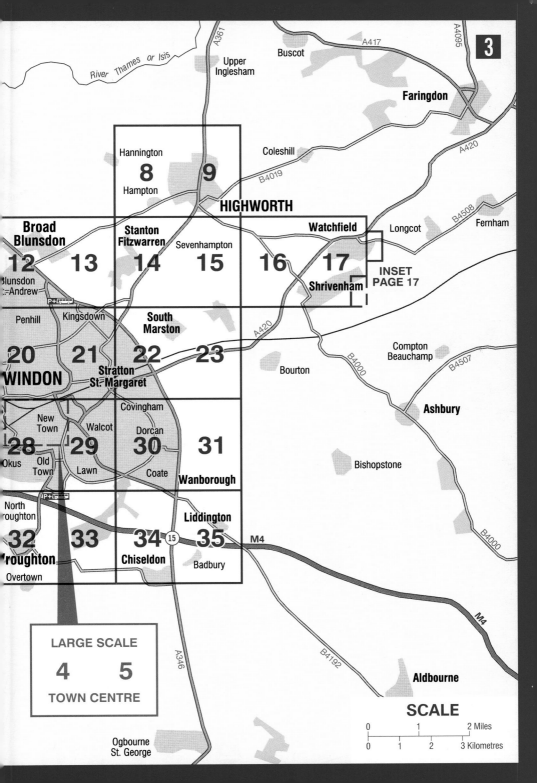

3

River Thames or Isis

A361

Upper Inglesham

Buscot

A417

A4095

Faringdon

A420

Coleshill

B4019

Hannington

8 **9**

Hampton

HIGHWORTH

Watchfield

Longcot

B4508

Fernham

Broad Blunsdon

Stanton Fitzwarren

Sevenhampton

12 **13** **14** **15** **16** **17**

Blunsdon St. Andrew

P+

Penhill

Kingsdown

South Marston

INSET PAGE 17

Shrivenham

20 **21** **22** **23**

SWINDON

Stratton St. Margaret

A420

Bourton

B4000

Compton Beauchamp

B4507

Ashbury

Covingham

New Town

Walcot

Dorcan

28 **29** **30** **31**

Okus

Old Town

Lawn

Coate

Wanborough

Bishopstone

B4000

North Broughton

P+

Liddington

32 **33** **34** (15) **35**

M4

Broughton

Overtown

Chiseldon

Badbury

M4

B4192

Aldbourne

LARGE SCALE

4 **5**

TOWN CENTRE

A346

SCALE

0 1 2 Miles

0 1 2 3 Kilometres

Ogbourne St. George

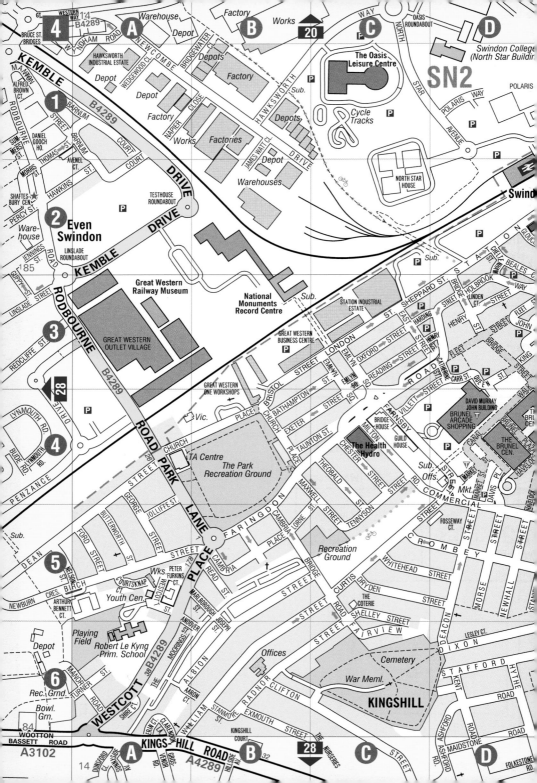

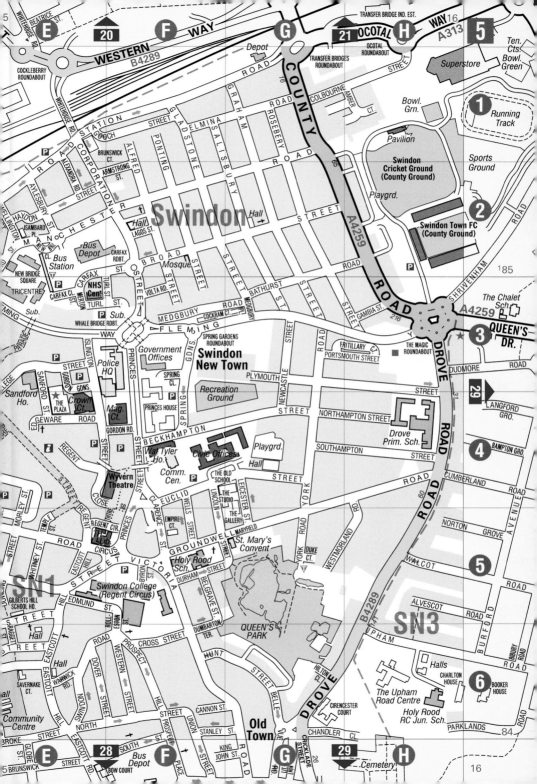

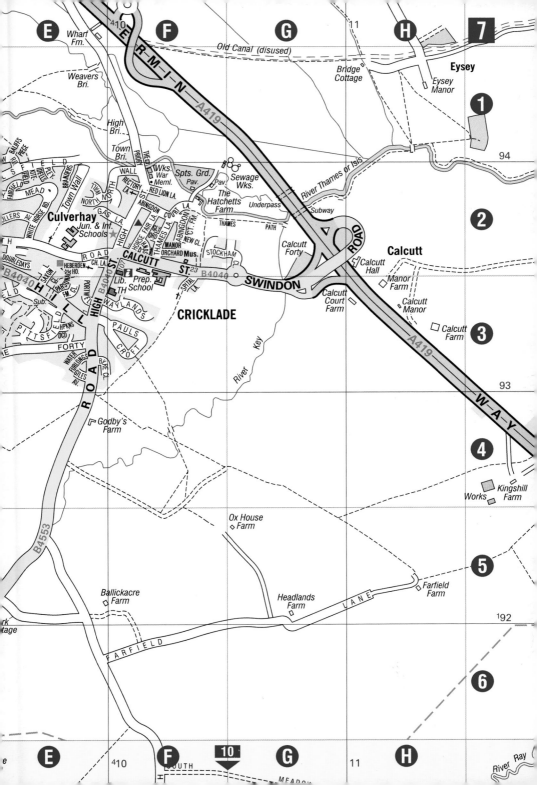

Grid references (top): E · F · G · 11 · H · **7**

Right edge grid markers: 1 · 2 · 3 · 4 · 5 · 6

Bottom grid references: E · 410 · F · **10** · G · 11 · H

Place names and features:

- Wharf Fm.
- Old Canal (disused)
- Bridge Cottage
- Eysey
- Eysey Manor
- Weavers Bri.
- E-R-M-I-N- (A419)
- High Bri.
- Town Bri.
- 94
- River Thames or Isis
- Wks. · War Meml. · Spts. Grd. · Pav. · Sewage Wks.
- PRIORY · RECTORY ST. · RED LION LA. · Pav.
- Culverhay · Jun. & Inf. Schools
- TOWN WALL · NORTH WALL · GAS LA. · TWIN. ST. · ABINGDON · HORSE FAIR LA. · COURT LA. · BINGDON CT. FM. · NEW CL.
- The Hatchetts Farm
- Underpass · THAMES · MANOR ORCHARD Mus. · STOCKHAM · PATH
- Subway
- Calcutt Forty
- Calcutt
- Calcutt Hall
- BALL'S PIECE · FAIRVIEW · KITE. · FIELD · FLEX. · MEAD · D · BRANDERS · WHITE HORSE RD. · ROLLERS AV · DOUBLEDAYS · B4040 · H · SAXON · PARSONAGE HO. · HEBERDEN HO. · Lib. · TH · Prep. School · CH. LA. · SPITAL LA.
- CALCUTT ST. · 23 · B4040 · SWINDON · ROAD
- Calcutt Court Farm
- Manor Farm
- Calcutt Manor
- CRICKLADE
- Calcutt Farm
- Sub. · PITTSFIELD · FORTY · DCD · WATER FURLONGS · GILES AV. · BARE CL. · HPKNS · WAYLANDS · PAULS CROFT · River Key
- 93
- Godby's Farm
- A419 · W-A-Y
- B4553
- Works · Kingshill Farm
- Ox House Farm
- Ballickacre Farm
- Headlands Farm
- FARFIELD LANE
- Farfield Farm
- FARFIELD
- Park Cottage
- 192
- S-OUTH · MEADOW
- River Ray

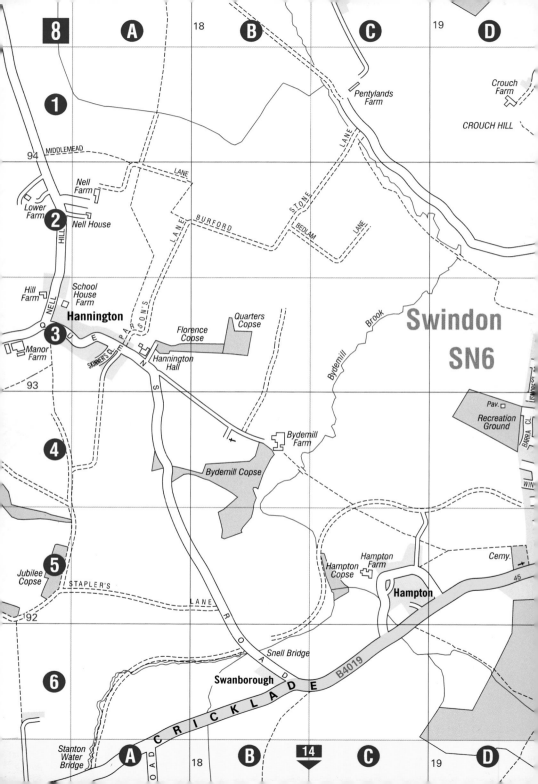

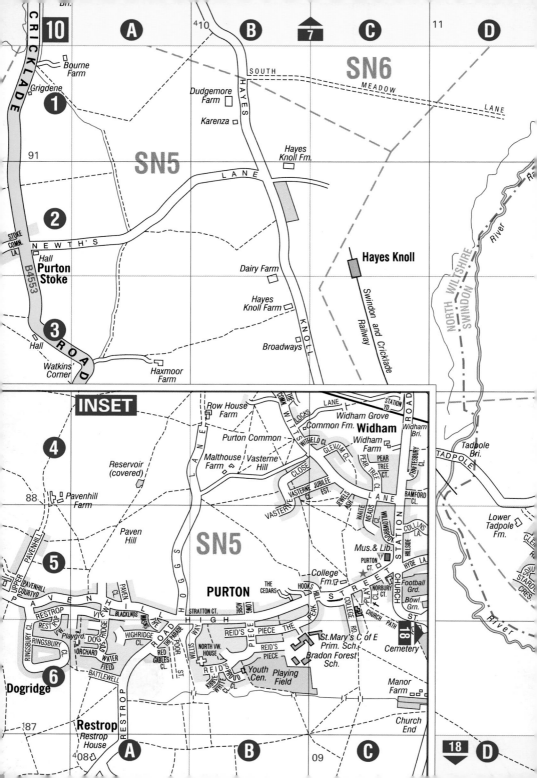

SN6

SOUTH

HAYES

MEADOW

LANE

CRICKLADE

Bourne Farm

Grigdene

1

Dudgemore Farm

Karenza

SN5

91

LANE

Hayes Knoll Fm.

NEWTH'S

STOKE COMN. LA.

B4553

2

Hall

Purton Stoke

Dairy Farm

Hayes Knoll Farm

Broadways

Hayes Knoll

Swindon and Cricklade Railway

NORTH WILTSHIRE SWINDON

River

River

3

ROAD

Hall

Watkins' Corner

Haxmoor Farm

KNOLL

Tadpole Bri.

TADPOLE

INSET

Row House Farm

WILLS

LOCKS

LANE

STATION RD.

Common Fm.

Widham Grove

Widham

Widham Bri.

Widham Farm

ROAD

Purton Common

Malthouse Farm

Vasterne Hill

WITFIELD

GLEUM CL.

PEAR TREE CT.

CHATTESBURY CL.

4

LANE

Reservoir (covered)

CLOSE

VASTERNE

JUBILEE EST.

PEAR TREE LA.

BAMFORD CL.

88

Pavenhill Farm

VASTERNE

WAITE

MEADS

JEWELS LA.

WILLS

STATION

COLLINS LA.

Lower Tadpole Fm.

Paven Hill

SN5

DOGRIDGE

HIGH

CL.

ISAMBARD

HILLSIDE

GLEN

STARON CRES.

5

PAVENHILL

UPPER PAVENHILL COURTYD.

HIGH

Mus.& Lib.

PURTON CT.

HYDE LA.

PAVEN

RESTROP

RESTROP CL.

RINGSBURY CL.

RESTROP

PAVEN VIEW

HIGHRIDGE CL.

BLACKLNDS

DOG'S RIDGE

MANOR

College Fm.

THE CEDARS

HOOK'S

LONG ACRE

College Fm.

STREET

NORBURY CT.

Football Grd.

Bowl. Grn.

18

PURTON

STRATTON CT.

CHURCH

Cemetery

ORCHARD

WATER FIELD

RED GABLES CL.

TIMSIT.

POOR ST.

WAY

REID'S

THE PEAK

PIECE

COLLEGE RD.

CHURCH PATH

CHURCH ST.

6

Dogridge

BATTLEWELL

RESTROP

THE MANOR HOUSE

NORTH VW. HOUSE

REID'S

PIECE

REID'S PIECE

THE PIECE

St.Mary's C of E Prim. Sch.

Bradon Forest Sch.

Manor Farm

KOBBE

WHITE CL.

SHROUD

Youth Cen.

Playing Field

87

Restrop

Restrop House

408

Church End

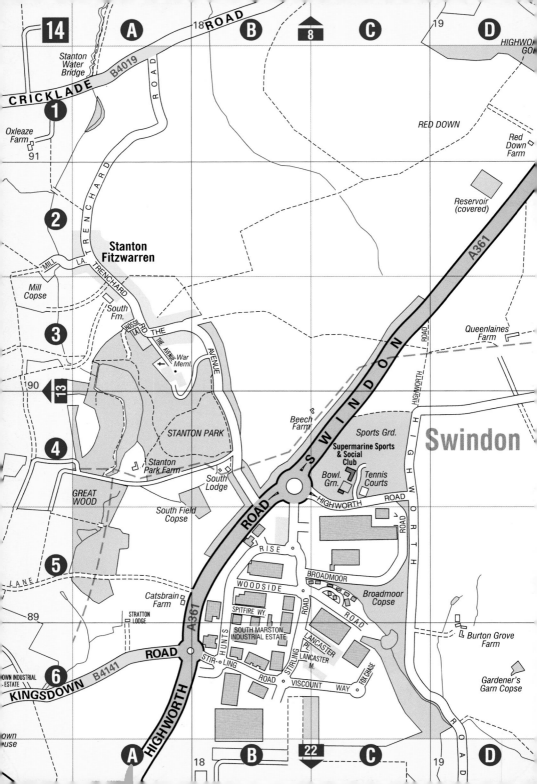

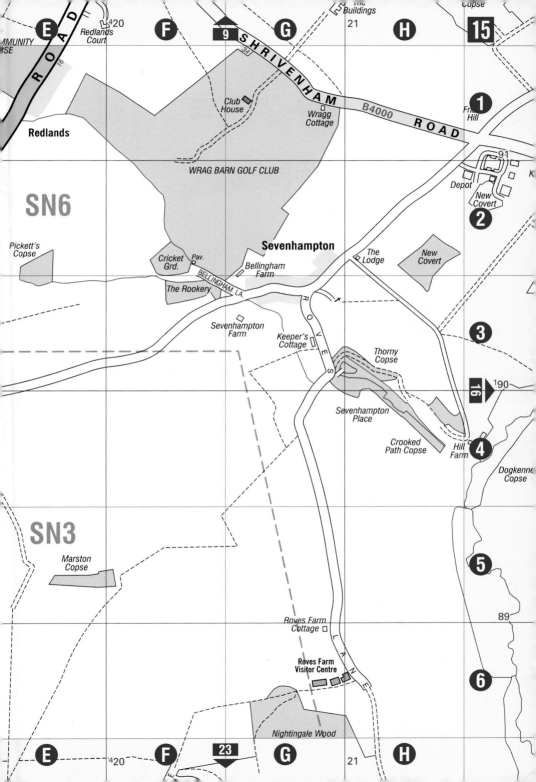

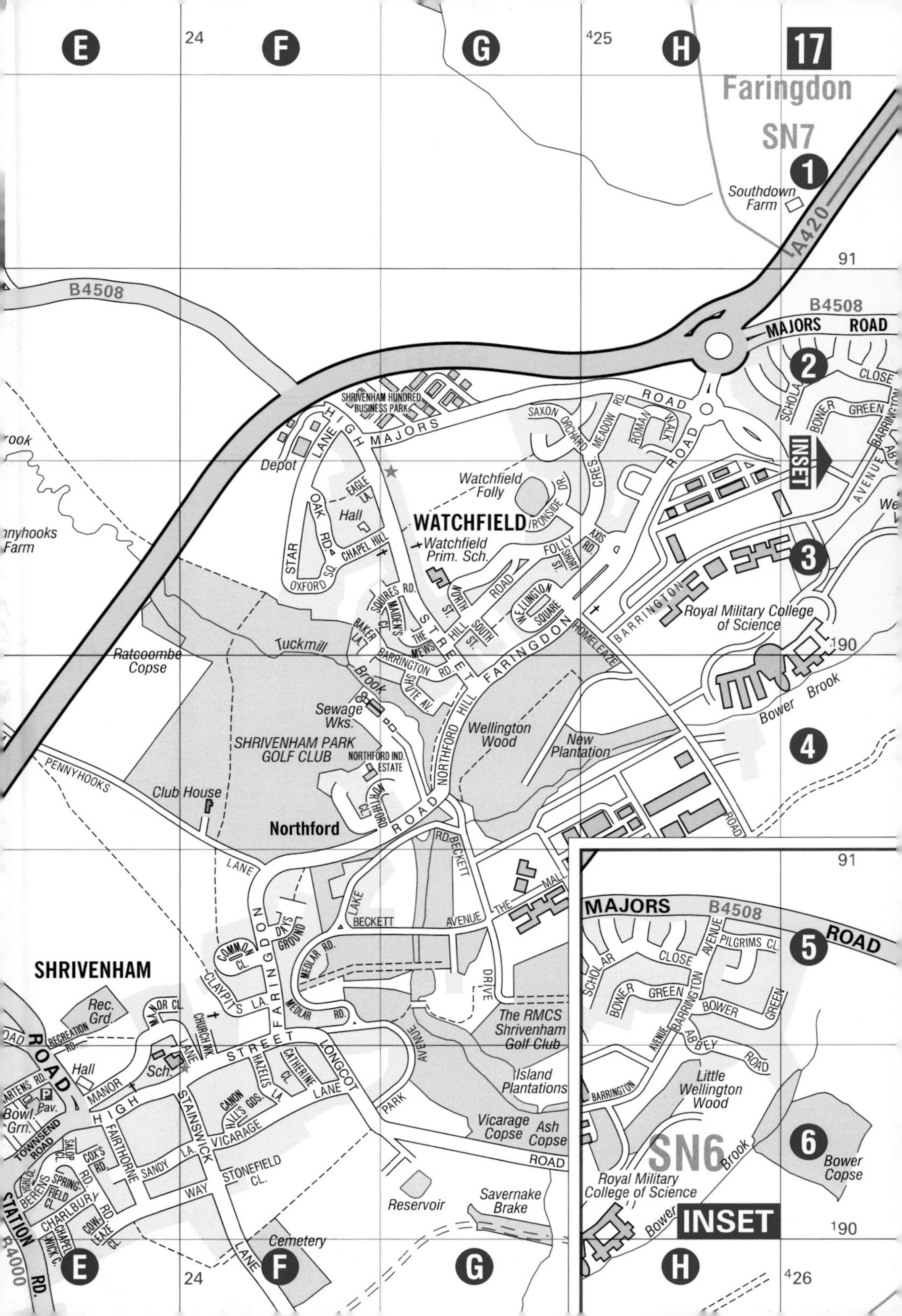
E
24
F
G
425
H
Faringdon
SN7
1
Southdown Farm
A420
91
B4508
B4508
MAJORS ROAD
2
CLOSE
SCHOLAR
BOWER GREEN
BARRINGTON
INSET
AVENUE
SHRIVENHAM HUNDRED BUSINESS PARK
HIGH LANE
MAJORS ROAD
SAXON ORCHARD
MEADOW RD.
ROMAN WALK
ROAD
CRES.
Depot
Watchfield Folly
IRONSIDE DR.
EAGLE LA.
OAK RD.
Hall
WATCHFIELD
STAR
CHAPEL HILL
Watchfield Prim. Sch.
FOLLY ST.
SHORT ST.
AXIS RD.
3
OXFORD SQ.
SQUIRES RD.
MAIDEN'S CL.
NORTH ST.
ROAD
WELLINGTON SQUARE
BARRINGTON
Royal Military College of Science
BAKER LA.
THE MEWS
STREET
HILL
SOUTH ST.
FARINGDON
HOMELEAZE
190
Ratcoombe Copse
Tuckmill
Brook
BARRINGTON RD.
SHUTE AV.
Bower Brook
Sewage Wks.
NORTHFORD HILL
Wellington Wood
New Plantation
4
SHRIVENHAM PARK GOLF CLUB
NORTHFORD IND. ESTATE
PENNYHOOKS
Club House
NORTHFORD CL.
ROAD
Northford
ROAD
LANE
RD. BECKETT
91
THE MALL
LAKE
BECKETT AVENUE
MAJORS B4508 ROAD
DAYS GROUND
COMMON CL.
FARINGDON
MEDLAR RD.
DRIVE
SCHOLAR CLOSE AVENUE PILGRIMS CL.
5
BOWER GREEN
BARRINGTON
BOWER GREEN
SHRIVENHAM
Rec. Grd.
MANOR CL.
CLAYPITS LA.
MEDLAR RD.
The RMCS Shrivenham Golf Club
AVENUE
ABBEY ROAD
ROAD
RECREATION RD.
CHURCH WK.
STREET
LONGCOT
AVENUE
Little Wellington Wood
Hall
LANE
HAZELLS LA.
CATHERINE CL.
Island Plantations
BARRINGTON
Sch.
MANOR
HIGH
STAINSWICK
CANON HILL'S GDS.
LANE
PARK
Pav.
Bowl. Grn.
TOWNSEND ROAD
SALOP CL.
COX'S RD.
FAIRTHORNE
VICARAGE
Vicarage Copse
Ash Copse
SN6
Brook
6
Bower Copse
SANDY LA.
ROAD
SPRINGFIELD CL.
BERENS RD.
CHARLBURY
WAY
STONEFIELD CL.
Reservoir
Savernake Brake
Royal Military College of Science
Bower
INSET
190
STATION ROAD
CHAPEL
COWLEAZE CL.
Cemetery
LANE
B4000
E
24
F
G
H
426

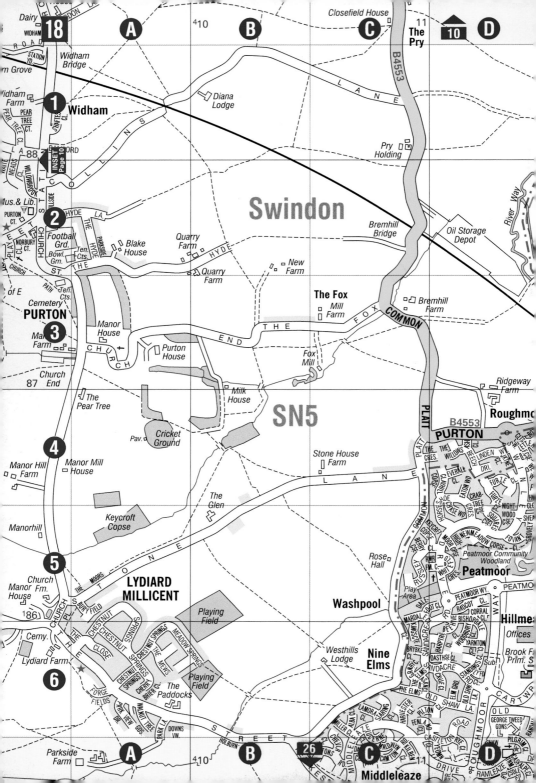

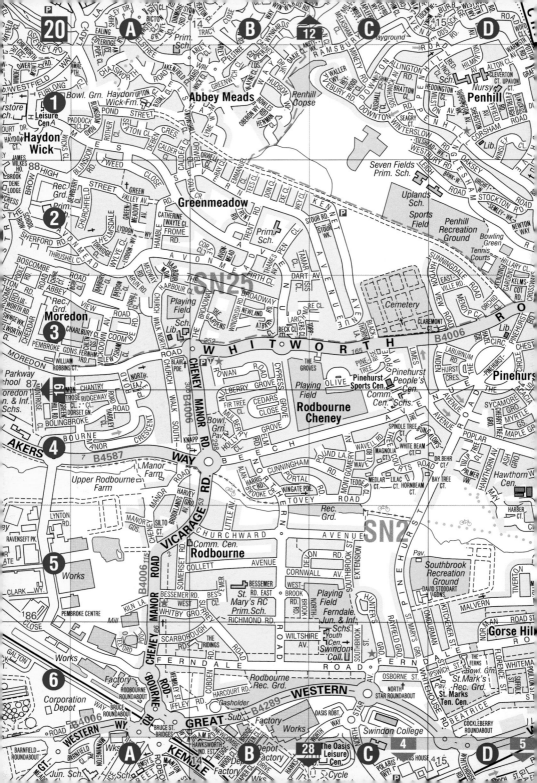

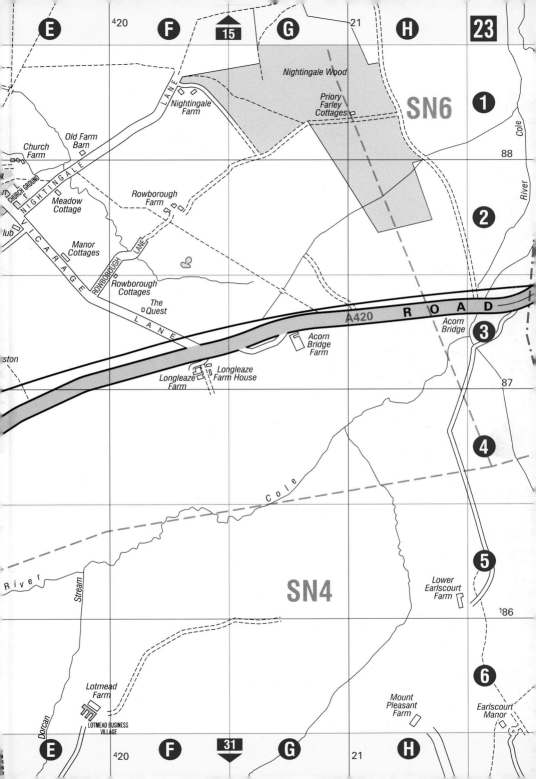

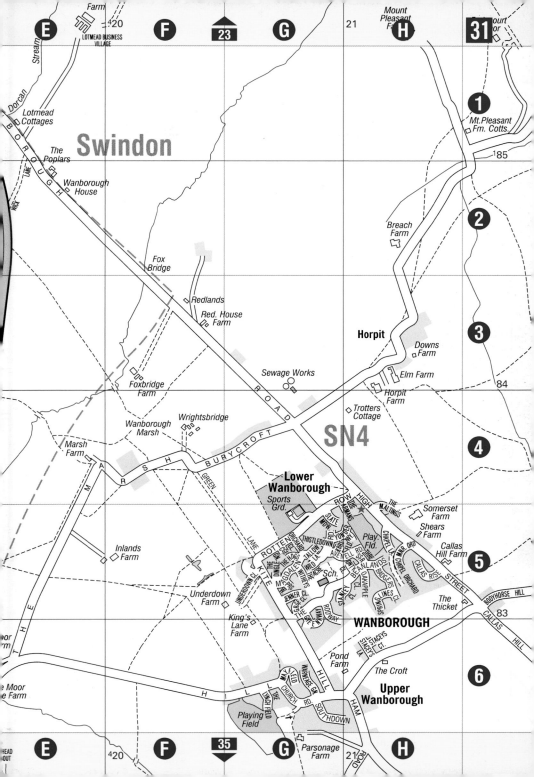

Swindon

Horpit

SN4

**Lower
Wanborough**

WANBOROUGH

**Upper
Wanborough**

Farm

LOTMEAD BUSINESS VILLAGE

Lotmead
Cottages

The
Poplars

Wanborough
House

Dorcan Stream

BOROUGH LANE

WICK LANE

Fox
Bridge

Redlands

Red. House
Farm

Foxbridge
Farm

Sewage Works

ROAD

BURYCROFT

Wanborough
Marsh

Wrightsbridge

Marsh
Farm

MARSH

GREEN LANE

Inlands
Farm

Underdown
Farm

King's
Lane
Farm

Sports
Grd.

ROW

THE ARMS

SLATE ROW

MOW

THISTLEDOWN

ORCHARD

THE HAGS

MAGDALEN LA.

WITHY'S

TALLOW

HIGH

VOW RD.

AVENELL

JACK CL.

WILD LA.

Sch.

UNDERDOWN CL.

KITE

THE DINGLE

STAMEY

JENNER CL.

SAGE CL.

THE GREE

WYNN CL.

RODWAY

SHRUBS

Play
Fld.

CHAPEL RD.

BEANLANDS

OAKAPPLE CL.

LINES CL.

BRIDGER'S

CHAPEL ORCHARD

NRR ORD

CALLAS

THE
MALTINGS

Somerset
Farm

Shears
Farm

Callas
Hill Farm

The
Thicket

RISE

STREET

BODYHORSE HILL

CALLAS HILL

Pond
Farm

The Croft

STACEYS

STACEY'S LA.

MAYFIELD

WARNAGE GM.

HILL

THE LYNCH FIELD

CHURCH RD.

SOUTHDOWN

HAM

Playing
Field

Parsonage
Farm

Breach
Farm

Mount
Pleasant
Fm

Mt. Pleasant
Fm. Cotts.

Downs
Farm

Elm Farm

Horpit
Farm

Trotters
Cottage

HEAD

420

THE MOOR

Moor
e Farm

420

185

84

83

21

210 ROAD

E **F** **G** **H**

1 **2** **3** **4** **5** **6**

23

35

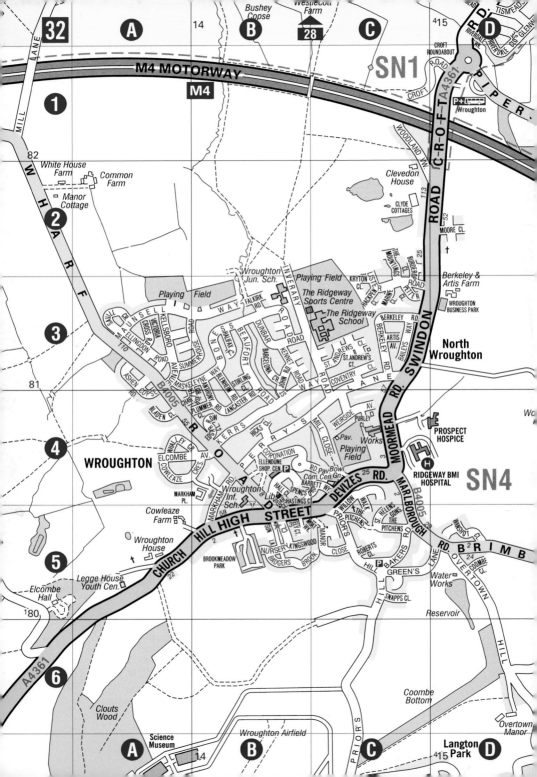

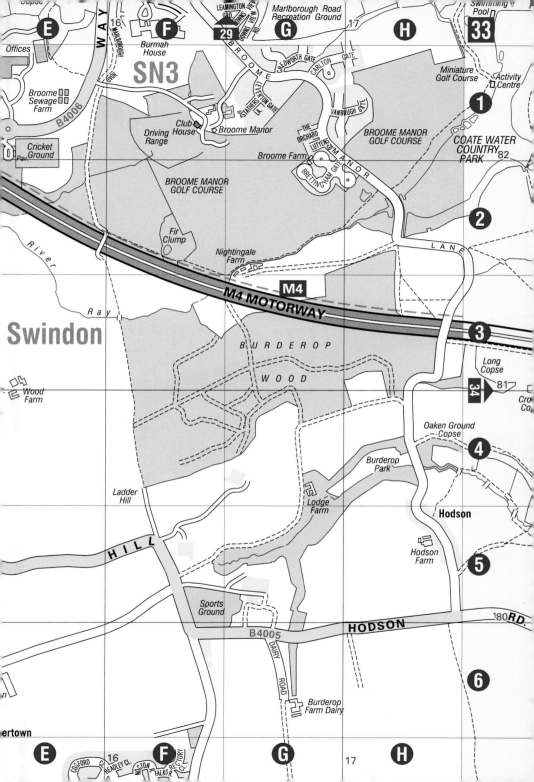

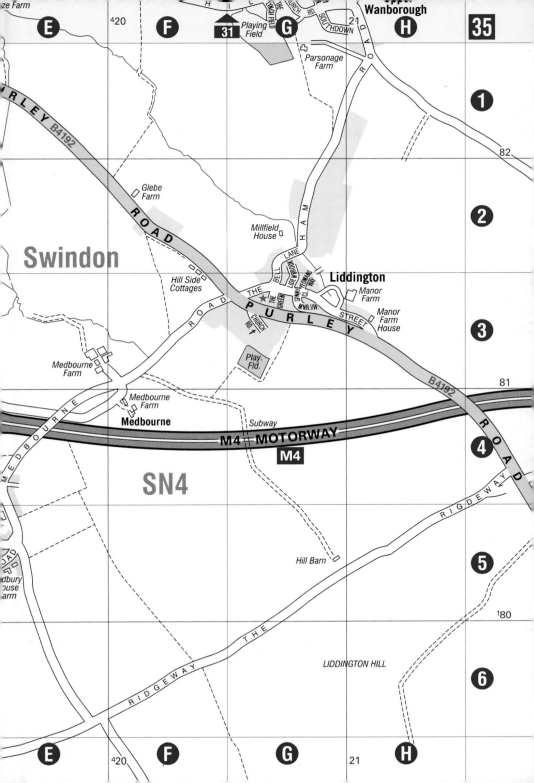

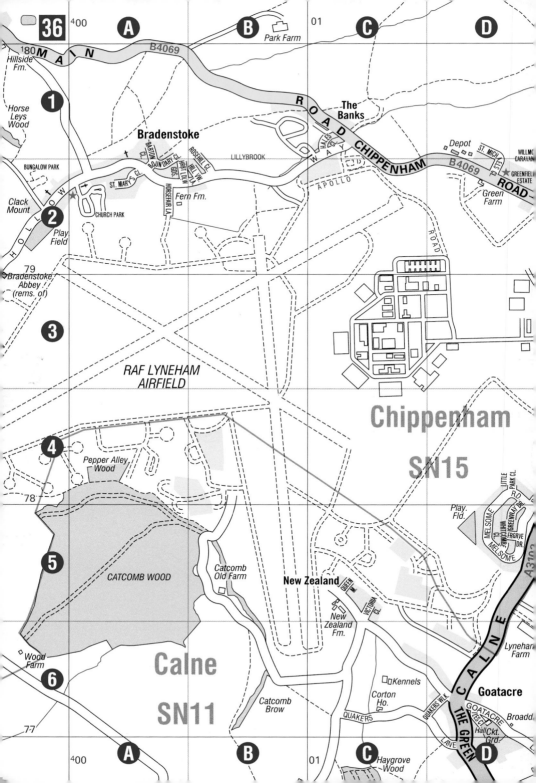

INDEX

HOW TO USE THIS INDEX

1. Each street name is followed by its Postcode District and then by its Locality abbreviation(s) and then by its map reference;
e.g. **Abbey Vw. Rd.** SN25: Swin . . . .3H **19** is in the SN25 Postcode District and the Swindon Locality and is to be found in square 3H on page **19**. The page number is shown in bold type.

2. A strict alphabetical order is followed in which Av., Rd., St., etc. (though abbreviated) are read in full and as part of the street name;
e.g. **Ash Cl.** appears after **Ashbury Av.** but before **Ashdown Way**.

3. Streets and a selection of flats and walkways too small to be shown on the maps, appear in the index with the thoroughfare to which it is connected shown in brackets; e.g. **Baileys Farm Gdns.** SN3: Swin . . . .2H **29** (off Buckhurst Cres.)

4. Addresses that are in more than one part are referred to as not continuous.

5. Places and areas are shown in the index in BLUE TYPE and the map reference is to the actual map square in which the town centre or area is located and not to the place name shown on the map; e.g. **BROADBUSH** 3D **12**

6. An example of a selected place of interest is Cricklade Mus. 2F 7

7. An example of a station is **Swindon Station (Rail)** . . . .1C 28 (2D 4). Included are Rail (**Rail**) and Park and Ride (**Park and Ride**)

8. An example of a hospital or hospice is GREAT WESTERN HOSPITAL, THE 1C 34

9. Map references shown in brackets; e.g **Albion St.** SN1: Swin . . . .3B **28** (6A **4**) refer to entries that also appear on the large scale pages **4-5**.

GENERAL ABBREVIATIONS

All. : Alley	**Fld.** : Field	**Pde.** : Parade
App. : Approach	**Flds.** : Fields	**Pk.** : Park
Arc. : Arcade	**Gdn.** : Garden	**Pl.** : Place
Av. : Avenue	**Gdns.** : Gardens	**Ri.** : Rise
Bri. : Bridge	**Ga.** : Gate	**Rd.** : Road
Bldg. : Building	**Gt.** : Great	**Rdbt.** : Roundabout
Bus. : Business	**Grn.** : Green	**Shop.** : Shopping
Cvn. : Caravan	**Gro.** : Grove	**Sth.** : South
Cen. : Centre	**Ho.** : House	**Sq.** : Square
Circ. : Circle	**Ind.** : Industrial	**St.** : Street
Cl. : Close	**Info.** : Information	**Ter.** : Terrace
Comn. : Common	**La.** : Lane	**Trad.** : Trading
Cotts. : Cottages	**Lit.** : Little	**Up.** : Upper
Ct. : Court	**Mnr.** : Manor	**Vw.** : View
Cres. : Crescent	**Mkt.** : Market	**Vis.** : Visitors
Cft. : Croft	**Mdw.** : Meadow	**Wlk.** : Walk
Dr. : Drive	**Mdws.** : Meadows	**W.** : West
E. : East	**M.** : Mews	**Yd.** : Yard
Ent. : Enterprise	**Mus.** : Museum	
Est. : Estate	**Nth.** : North	

LOCALITY ABBREVIATIONS

Ash K : **Ashton Keynes**	Hod : **Hodson**	Seven : **Sevenhampton**
Bad : **Badbury**	Hook : **Hook**	Shriv : **Shrivenham**
Blun : **Blunsdon**	Leigh : **Leigh**	S Mars : **South Marston**
Brad : **Bradenstoke**	Lidd : **Liddington**	Stan F : **Stanton Fitzwarren**
Burd : **Burderop**	Lyd M : **Lydiard Millicent**	Stra S : **Stratton St Margaret**
Calc : **Calcutt**	Lyd T : **Lydiard Tregoze**	Swin : **Swindon**
Chi : **Chiseldon**	Lyne : **Lyneham**	Tock : **Tockenham**
Crick : **Cricklade**	New Z : **New Zealand**	Wan : **Wanborough**
D Lock : **Dauntsey Lock**	Pres : **Preston**	Watch : **Watchfield**
Goat : **Goatacre**	Pur : **Purton**	Wid : **Widham**
Hann : **Hannington**	Pur S : **Purton Stoke**	Woot B : **Wootton Bassett**
High : **Highworth**	Rest : **Restrop**	Wro : **Wroughton**

A

ABBEY MEADS 6B 12
Abbey Meads Village Cen. SN25: Swin . .6B 12
Abbey Rd. SN6: Watch 5H 17
Abbey Vw. Rd. SN25: Swin 3H 19
Abbotsbury Way SN25: Swin 5B 12
Abingdon Ct. Farm SN6: Crick 2F 7
Abingdon Ct. La. SN6: Crick 2F 7
Abington Way SN2: Stra S 1E 21
Abney Moor SN3: Swin 6D 30
Acacia Gro. SN2: Swin 4D 20
Acorn Cl. SN3: Swin 3B 30
Acorns, The SN3: Swin 6H 29
Addinsell Rd. SN25: Swin 5H 11
Addison Cres. SN2: Stra S 3G 21

Adwalton Cl. SN5: Swin 4E 27
Affleck Cl. SN5: Swin 3F 27
Aiken Rd. SN25: Swin 1F 19
Ainsworth Rd. SN3: Swin 4H 29
Akenfield Cl. SN25: Swin 1A 20
Akers Ct. SN26: Blun 2D 12
Akers Rdbt. SN2: Swin 3G 19
Akers Way SN2: Swin 3G 19
Alanbrooke Cres. SN2: Swin 4B 20
Alba Cl. SN5: Swin 6C 18
Albany Cl. SN3: Swin 3G 29
Albert St. SN1: Swin 4E 29
Albion St. SN1: Swin 3B 28 (6A 4)
Aldborough Cl. SN5: Swin 1F 27
Aldbourne Cl. SN2: Swin 6D 12
Alder Cl. SN2: Swin 2G 19
Alderley Rd. SN25: Swin 5H 11

Alderney Cl. SN4: Woot B 3F 25
Alexandra Rd. SN1: Swin 1D 28 (2E 5)
Alfred Brown Ct. SN2: Swin 1A 4
Alfred St. SN1: Swin 1D 28 (1F 5)
Allington Rd. SN2: Swin 1C 20
Alnwick Cl. SN5: Swin 4E 27
Alpine Cl. SN5: Swin 1D 26
Alton Cl. SN2: Swin 1D 20
Alvescot Rd. SN3: Swin 3E 29 (5H 5)
Alveston Cl. SN5: Swin 2G 27
Amber Cl. SN1: Swin 1E 29 (1H 5)
Amberley Cl. SN2: Swin 2D 20
Ambrose Rd. SN1: Swin 6D 28
Amersham Rd. SN3: Swin 5A 30
Amesbury Cl. SN2: Swin 6D 12
Ancona Cl. SN5: Swin 1D 26
Anderson Cl. SN3: Swin 5C 30

Andover St. SN1: Swin 3B 28 (5A 4)
Angelica Cl. SN2: Swin 2G 19
Angler Rd. SN5: Swin 1E 27
Anglesey Cl. SN5: Swin 2F 27
Angus Cl. SN5: Swin 1E 27
Anise Cl. SN2: Swin 2F 19
Ansty Wlk. SN2: Swin 6C 12
Anthony Rd. SN4: Wro 3B 32
Antony Rd. SN25: Swin 5A 12
Apollo Cl. SN15: Swin 5E 11
Apollo Rd. SN15: Lyne 2C 36
Apple Wlk. SN2: Swin 4F 21
Applewood Ct. SN5: Swin 3G 27
Aragon Cl. SN3: Swin 4H 29
Archer Cl. SN2: Stra S 1G 21
Archers, The SN6: High 4E 9
Argosy Rd. SN15: Lyne 4F 37
Argyle St. SN2: Swin 5E 21
Ariadne Rd. SN15: Swin 5D 10
Arkwright Rd. SN25: Swin 6E 13
Arley Cl. SN25: Swin 1B 20
   (not continuous)
Arlington Cl. SN3: Swin 1A 30
Armans, The SN4: Wan 5H 31
Armstrong St. SN1: Swin 1D 28 (2E 5)
Arnfield Moor SN3: Swin 6D 30
Arnhem Cross SN15: Lyne 3F 37
Arran Cl. SN4: Woot B 3E 25
Arran Way SN6: High 3F 29
Arthur Bennett Ct.
   SN1: Swin 3A 28 (5A 4)
Arthur Miles Ct. SN2: Stra S 2F 21
Artis Av. SN4: Wro 3C 32
Arundel Cl. SN3: Swin 5G 29
Arun Rd. SN25: Swin 3A 20
Ascham Rd. SN5: Swin 3D 26
Ascott Cl. SN25: Swin 5A 12
Ash Cl. SN21: Swin 4G 21
Ash Gro. SN2: Swin 4D 20
Ashie Cl. SN5: Swin 4E 19
Ashington Rdbt. SN5: Swin 3F 27
Ashington Way SN5: Swin 3F 27
Ashkirk Cl. SN3: Swin 2F 29
Ashlar Ct. SN3: Swin 5E 29
Ashleworth Rd. SN25: Swin 5A 12
Ashley Cl. SN3: Swin 2G 29
Ashmore Cl. SN3: Swin 2C 30
Ashridge Ct. SN25: Swin 5H 11
Ashton Cl. SN25: Swin 5F 11
Ashwell Cl. SN3: Swin 3G 29
Ashworth Rd. SN5: Swin 2H 27
Askerton Cl. SN5: Swin 6C 18
Askew Cl. SN5: Swin 3C 26
Aspen Cl. SN4: Woot B 2D 24
Aspen Ho. SN1: Swin 4E 5
Atbara Cl. SN25: Swin 3B 20
Athena Av. SN2: Swin 5E 21
Atlee Cres. SN2: Stra S 3G 21
Atworth Cl. SN2: Swin 6C 12
Auden Cl. SN25: Swin 1A 20
Audley Cl. SN5: Swin 4C 26
Augusta Cl. SN25: Swin 5F 11
Austen Cres. SN3: Swin 4C 30
Avebury Rd. SN2: Swin 1C 20
Avenel Cl. SN2: Swin 2A 4
Avenell Rd. SN4: Wan 5G 31
Avening St. SN2: Swin 5E 21
Avens Cl. SN2: Swin 2G 19
Avenue, The SN6: Stan F 3A 14
Avenue Rd. SN1: Swin 4D 28
Avocet Cl. SN3: Swin 2D 30
Avonmead SN25: Swin 2H 19
Axbridge Cl. SN3: Swin 3H 29
Axis Bus. Cen. SN5: Swin 1G 27
Axis Rd. SN6: Watch 3H 17
Aylesbury St.
   SN1: Swin 1D 28 (2E 5)
Aymer Pl. SN3: Swin 3B 30

Ayrshire Cl. SN5: Swin 1E 27
Azelin Ct. SN3: Stra S 3A 22

B

Babington Pk. SN5: Swin 3C 26
Back La. SN26: Blun 1C 29
BADBURY 5D 34
Badbury Rd. SN4: Bad 5D 34
Badger Cl. SN4: Woot B 3E 25
Badgers Brook SN4: Wro 5B 32
Badgers Cl. SN4: Wan 5H 31
Baileys Farm Gdns. SN3: Swin 2H 29
   (off Buckhurst Cres.)
Baileys Mead SN4: Woot B 3F 25
Baileys Way SN4: Wro 3C 32
Bainbridge Cl. SN5: Swin 3D 26
Baird Cl. SN5: Swin 6E 19
Bakers Ct. SN3: Stra S 4A 22
Bakers Fld. SN15: Lyne 2E 37
Bakers Rd. SN4: Wro 5C 32
Baldwin Cl. SN4: Chi 6C 34
Bale Cl. SN5: Swin 3C 26
Baliffs Piece SN6: Crick 1E 7
Balmoral Cl. SN3: Swin 5H 29
Bamford Cl. SN5: Pur 4C 10
Bampton Gro. SN3: Swin 2F 29 (4H 5)
Banbury Cl. SN3: Swin 5G 29
Bancroft Cl. SN5: Swin 3C 26
Bankfoot Cl. SN5: Swin 1E 27
BANKS, THE 1C 36
Bankside SN1: Swin 4A 28
Banwell Av. SN3: Swin 3H 29
Barbury Cl. SN25: Swin 3A 20
Barcelona Cres. SN4: Wro 3B 32
Barcote Cl. SN25: Swin 5G 11
Bardsey Cl. SN4: Woot B 3E 25
Barkstead Cl. SN5: Swin 4E 27
Barlow Cl. SN25: Swin 5B 12
Barnard Cl. SN3: Swin 1A 30
Barnfield Cl. SN2: Swin 1A 28
Barnfield Rd. SN2: Swin 1H 27
Barnmoor Cl. SN3: Swin 5D 30
Barnstaple Cl. SN3: Swin 3A 30
Barnum Ct. SN2: Swin 1B 28 (1A 4)
Baron Cl. SN3: Stra S 3A 22
Barra Cl. SN6: High 4D 8
Barrett Way SN4: Wro 4B 32
Barrington Av. SN6: Shriv 3H 17
Barrington Cl. SN3: Swin 5C 30
Barrington Rd. SN6: Watch 4G 17
Barrowby Ga. SN3: Stra S 2H 21
Barry Glen Cl. SN2: Swin 5F 21
Barton, The SN4: Woot B 3B 24
Barton Cl. SN15: Brad 1A 36
Barton Rd. SN25: Swin 3H 19
Basil Cl. SN3: Swin 2G 19
Basingstoke Cl. SN5: Swin 4D 26
Baskerville Rd. SN3: Swin 1A 28
Bathampton St. SN1: Swin 2B 28 (4B 4)
Bath Bldg., The SN1: Swin 4D 28
Bath Rd. SN1: Swin 4C 28
   SN4: Woot B 4B 24
   SN6: Crick 2E 7
Bathurst Rd. SN1: Swin 2E 29 (3G 5)
Battlewell SN5: Pur 6A 10
Baxter Cl. SN25: Swin 6B 12
Baydon Cl. SN25: Swin 3A 20
Bayleaf Av. SN2: Swin 2G 19
Bay Tree Ct. SN2: Swin 4D 20
Beagle Cl. SN5: Swin 5E 11
Beales Cl. SN1: Swin 1C 28 (2D 4)
Beamans La. SN4: Woot B 4C 24
Beamans Pk. SN4: Woot B 4C 24
Beanlands, The SN4: Wan 5G 31
Beatrice St. SN2: Swin 6D 20 (1E 5)
Beatty Ct. SN3: Swin 4E 29
Beauchamp Cl. SN25: Swin 3A 20
Beaufort Grn. SN3: Swin 3A 30
   (not continuous)
Beaufort Rd. SN4: Wro 3B 32
Beaulieu Cl. SN5: Swin 4G 27
Beaumaris Rd. SN5: Swin 3E 27
Beaumont Rd. SN3: Swin 2G 29

Beck Cl. SN25: Swin 3B 20
Beckett Av. SN6: Shriv 5F 17
Beckett Dr. SN6: Shriv 4G 17
Beckhampton St. SN1: Swin ..2D 28 (4F 5)
Beddington Cl. SN3: Stra S 1H 21
Bedford Rd. SN3: Swin 2G 29
Bedlam La. SN6: Hann 2B 8
Bedwyn Cl. SN3: Swin 3E 21
Beech Av. SN2: Swin 4B 20
Beechcroft Rd. SN2: Stra S 3E 21
Beech Dr. SN5: Swin 4D 18
Beech Gro. SN6: High 5E 9
Beech Lea SN26: Blun 3D 12
Beehive Cl. SN5: Swin 6D 18
Belfast Mead SN15: Lyne 3G 37
Belgrave St. SN1: Swin 3D 28 (5F 5)
Belle Vue Rd. SN1: Swin 4E 29 (6G 5)
Bell Gdns. SN3: S Mars 2D 22
Bellinger La. SN6: Seven 3F 15
Bell La. SN4: Lidd 3G 35
Bellver SN5: Swin 3E 27
Belmont Cl. SN3: Stra S 3H 21
Belmont Cres. SN1: Swin 5C 28
Belsay SN5: Swin 4F 27
Belvedere Rd. SN3: Swin 5H 29
Bembridge Cl. SN3: Swin 4A 30
Benedict M. SN25: Swin 5F 11
   (off Tortworth Rd.)
Bennett Hill Cl. SN4: Woot B 3E 25
Bentham Cl. SN5: Swin 2G 27
Bentley Cen. SN1: Swin 6F 21
Bentley Cl. SN3: Swin 2H 29
Benwell Cl. SN5: Swin 2F 27
Berenger Cl. SN3: Swin 5E 29
Berens Rd. SN6: Shriv 6E 17
Beresford Cl. SN3: Swin 4B 30
Bergman Cl. SN25: Swin 6C 12
Berkeley Ho. SN1: Swin 2C 28 (4C 4)
   (off Milton Rd.)
Berkeley Lawns SN3: Swin 5G 29
Berkeley Rd. SN4: Wro 3C 32
Berkshire Dr. SN5: Swin 1D 26
Berkshire Ho. SN1: Swin 6G 21
Berricot La. SN4: Bad 4D 34
Berrington Rd. SN3: Swin 5H 29
Berry Copse SN5: Swin 5C 18
Berton Cl. SN26: Blun 2D 20
Berwick Way SN3: Swin 2D 20
Bessemer Cl. SN2: Swin 5B 20
Bessemer Rd. E. SN2: Swin 5B 20
Bessemer Rd. W. SN2: Swin 5A 20
Bess Rd. SN5: Swin 4C 26
Betjeman Av. SN4: Woot B 2D 24
Betony Cl. SN25: Swin 1H 19
Bevan Cl. SN2: Stra S 3G 21
Beverley SN5: Swin 4F 27
Beverstone Gro. SN3: Swin 4G 29
Bevil SN5: Swin 5D 26
Bevisland SN3: Swin 5B 30
Bibury Rd. SN3: Swin 3F 29 (6H 5)
Bicton Rd. SN25: Swin 6A 12
Biddel Springs SN6: High 4G 9
Bideford Cl. SN3: Swin 3H 29
Bilborough Dr. SN3: Swin 3G 29
Bill Turpin Ct. SN3: Swin 4A 30
Bincknoll La. SN4: Woot B 4E 25
Bindon Cl. SN5: Swin 3D 26
BINKNOLL 4G 25
Birch Cl. SN2: Swin 4F 21
Birches, The SN3: Swin 6H 29
Birch St. SN1: Swin 3A 28 (5A 4)
Birchwood Rd. SN3: Stra S 4A 22
Birdbrook Rd. SN2: Stra S 1F 21
Birdcombe Rd. SN5: Swin 3F 27
Birkdale Cl. SN25: Swin 5F 11
Bishopdale Cl. SN5: Swin 5D 18
Bishopsfield SN6: Crick 2D 6
Bisley Cl. SN3: Swin 3H 29
Bittern Rd. SN3: Swin 2D 30
Blacklands SN5: Pur 5A 10
Blackman Gdns. SN3: Swin 5E 29
Blackmore Cl. SN3: Swin 1D 30
Blackstone Av. SN3: Swin 4B 30
Blackthorn Cl. SN4: Woot B 1D 24
Blackthorn La. SN25: Swin 3C 20
Blackworth SN6: High 2E 9
Blackworth Ct. SN6: High 2F 9

Blackworth Ind. Est. SN6: High 2E **9**
Bladen Cl. SN4: Wro 4A **32**
BLAGROVE .5C **26**
Blagrove Ind. Est. SN5: Swin 6D **26**
Blagrove Rdbt. SN5: Swin 5C **26**
Blair Pde. SN2: Swin 3A **20**
Blake Cres. SN3: Stra S 4B **22**
Blakeney Av. SN3: Swin 1A **30**
Blakesley Cl. SN3: Swin 4G **29**
Blandford All. SN6: High 5F **9**
Blandford Ct. SN3: Swin 2A **30**
Blenheim Cl. SN4: Woot B 2E **25**
Blenheim Rd. SN4: Wro 3B **32**
Bletchley Cl. SN3: Swin 4B **30**
Blind La. SN6: Crick 5C **6**
Blockley Ri. SN3: Stra S 1H **21**
Bloomsbury Cl. SN5: Swin 4D **26**
Bluebell Path SN25: Swin 6H **11**
Blunsdon Abbey Cvn. Pk.
  SN25: Blun 4A **12**
Blunsdon Caravans *SN25: Blun* 4A **12**
  (off Main Dr.)
Blunsdon Hill SN26: Blun 1A **12**
Blunsdon Rd. SN25: Swin 1A **20**
  (not continuous)
BLUNSDON ST ANDREW 4A **12**
Bob May Ct. SN3: Swin 3B **30**
Bodiam Dr. SN5: Swin 5F **27**
Bodiam Dr. Nth. SN5: Swin 3G **27**
Bodiam Dr. Sth. SN5: Swin 4G **27**
Bodmin Cl. SN3: Swin 3H **29**
Bodyhorse Hill SN4: Wan 5H **31**
Boldrewood SN3: Swin 5C **30**
Boleyn Cl. SN5: Swin 2D **26**
Bolingbroke Rd. SN2: Swin 4H **19**
Boness Rd. SN4: Wro 3B **32**
Bonner Cl. SN5: Swin 3C **26**
Booker Ho. SN3: Swin 3F **29** (6H **5**)
Borage Cl. SN2: Swin 1G **19**
Borough Flds. SN4: Woot B 3C **24**
Borough Flds. Shop. Cen.
  SN4: Woot B 3C **24**
Boscombe Rd. SN25: Swin 2H **19**
Bosham Cl. SN5: Swin 4E **27**
Bosworth Rd. SN5: Swin 3D **26**
Botany SN6: High 5D **8**
Bothwell Rd. SN3: Swin 2G **29**
Botley Copse SN5: Swin 4D **18**
Boulevard, The SN25: Swin 1F **19**
Boundary Cl. SN2: Stra S 1F **21**
  SN15: Brad 2A **36**
Bourne Lake Pk. SN6: Crick 4A **6**
Bourne Rd. SN2: Swin 4H **19**
Bourton Av. SN3: Stra S 4A **22**
Bouverie Av. SN3: Swin 5F **29**
Bow Ct. SN1: Swin 4D **28** (6F **5**)
Bowd's La. SN4: Lyne 1E **37**
Bower Grn. SN6: Watch 5H **17**
  (not continuous)
Bowles Rd. SN25: Swin 1B **20**
Bowleymead SN3: Swin 3B **30**
Bowling Grn. La. SN1: Swin 5D **28**
Bowman Cl. SN3: Stra S 3A **22**
Bowman Ct. SN4: Woot B 4B **24**
Bowood Rd. SN1: Swin 4B **28**
Boydell Cl. SN5: Swin 6E **19**
Bradene Cl. SN4: Woot B 3D **24**
Bradenham Rd. SN5: Swin 3D **26**
BRADENSTOKE 2A **36**
Bradenstoke Abbey 3A **36**
Bradford Rd. SN1: Swin 4D **28**
Bradley Rd. SN2: Stra S 2E **21**
Bradwell Moor SN3: Swin 6C **30**
Braemar Cl. SN3: Swin 5G **29**
Brain Ct. SN3: Stra S 4H **21**
Bramble Cl. SN3: Swin 5F **21**
Bramble Rd. SN2: Swin 5F **21**
Bramdean Cl. *SN25: Swin* 6A **12**
  (off Elstree Way)
Bramptons, The SN5: Swin 1E **27**
Bramwell Cl. SN2: Swin 6F **13**
Branders SN6: Crick 2E **7**
Brandon Cl. SN5: Swin 3D **26**
Branksome Rd. SN25: Swin 3H **19**
Branscombe Dr. SN4: Woot B 4D **24**
Bratton Cl. SN2: Swin 1C **20**
Braybrooke Cl. SN5: Swin 6C **18**

Braydon Ct. *SN2: Swin* 1D **20**
  (off Penhill Dr.)
Braydon La. SN6: Crick 6A **6**
Breach La. SN4: Woot B 5A **24**
Brecon Cl. SN3: Swin 6F **29**
Bremhill Cl. SN2: Swin 2D **20**
Brendon Wlk. SN3: Swin 2A **30**
Brettingham Ga. SN3: Swin 2G **33**
Brewery St. SN6: High 5F **9**
Briar Flds. SN1: Swin 6F **21**
Briars Cl. SN4: Woot B 2D **24**
Briarswood Ct. *SN3: Swin* 5C **30**
  (off Liden Dr.)
Bri. End Rd. SN3: Swin 5G **21**
Bridge Ho. SN1: Swin 4C **4**
Bridgelands SN4: Woot B 5C **24**
Bridgeman Cl. SN3: Stra S 4A **22**
BRIDGEMEAD 3H **27**
Bridgemead Cl. SN5: Swin 2H **27**
Bridge St. SN1: Swin 2C **28** (3D **4**)
  (not continuous)
Bridgewater Cl. SN2: Swin 1B **28** (1A **4**)
Bridport Rd. SN3: Swin 4A **30**
Briery Cl. SN3: Stra S 2H **21**
Bright St. SN2: Swin 6E **21**
Brimble Hill SN4: Burd, Wro 5D **32**
Brind Cl. SN3: Swin 2D **30**
Brindley Cl. SN2: Swin 5G **19**
Brington Rd. SN3: Stra S 6A **22**
Bristol St. SN1: Swin 2B **28** (4B **4**)
Britannia Cres. SN15: Lyne 3F **37**
Britannia Pl. SN1: Swin 4E **29**
Britannia Trad. Est. SN3: Stra S 3G **21**
Britten Rd. SN25: Swin 5H **11**
Brixham Av. SN3: Swin 3F **29**
BROAD BLUNSDON 2D **12**
Broad Bri. SN1: Swin 1C **28** (2D **4**)
BROADBUSH 3D **12**
Broadmead Wlk. SN3: Swin 1A **30**
Broadmoor Rd. SN3: S Mars 5C **14**
Broad St. SN1: Swin 1D **28** (2F **5**)
Broadway, The SN25: Swin 3B **20**
Bromley Cl. SN3: Swin 2F **29**
Bronte Cl. SN3: Swin 4C **30**
Brookdene SN25: Swin 2H **19**
Brook Dene Lodge SN25: Swin 2H **19**
Brooke Pl. SN4: Woot B 2E **25**
Brookfield SN6: High 3E **9**
Brooklands Av. SN2: Swin 5A **20**
Brook Lime Cl. SN2: Swin 2G **19**
Brookmeadow Pk. SN4: Wro 5B **32**
Brooksby Way SN3: Stra S 6A **22**
Brooks Cl. SN2: Stra S 1F **21**
Broombe Mnr. La. SN3: Swin 6F **29**
Broughton Grange SN3: Swin 4G **29**
Brow, The SN25: Swin 2H **19**
Browning Cl. SN3: Stra S 3A **22**
Bruce Rdbt. SN2: Swin 6A **20**
Bruce St. SN2: Swin 1A **28**
Bruce St. Bridges SN2: Swin 6A **20** (1A **4**)
Bruddel Gro. SN3: Swin 6F **29**
Brunel Arc. Shop. SN1: Swin 2C **28** (4D **4**)
Brunel Cen., The SN1: Swin 2C **28** (4D **4**)
Brunel Mkt. SN1: Swin 4D **4**
Brunel Plaza SN1: Swin 2C **28** (4D **4**)
Brunswick Cl. SN1: Swin 1E **5**
Brunswick St. SN1: Swin 4D **28** (6E **5**)
Bruton Wlk. SN3: Swin 4H **29**
Bryanston Way SN3: Swin 2B **30**
Bryant Rd. SN25: Swin 1F **19**
Brynards Hill SN4: Woot B 4D **24**
Bryony Way SN2: Swin 2G **19**
Buckhurst Cres. SN3: Swin 2H **29**
Buckingham Rd. SN3: Swin 5G **29**
Buckland Cl. SN3: Swin 2A **30**
Bucklebury Cl. SN3: Stra S 5H **21**
Buckthorn Dr. SN25: Swin 2G **19**
Bude Rd. SN3: Swin 2A **28** (4A **4**)
Buie Cl. SN5: Swin 5E **19**
Buller St. SN2: Swin 5E **21**
Bullfinch Cl. SN3: Swin 2D **30**
Bunce Rd. SN3: Stra S 4H **21**
Bungalow Rd. SN15: Brad 2A **36**
Bungalows, The SN4: Chi 4C **20**
Buntings, The SN3: Swin 1C **30**
Burbage Rd. SN2: Swin 6D **12**
Burcot Cl. SN25: Swin 5F **11**

Burden Cl. SN3: Stra S 5B **22**
Burderop Cl. SN4: Wro 2C **32**
Burford Av. SN3: Swin 3F **29** (6H **5**)
Burford Stone La. SN6: Hann 2B **8**
Burgess Cl. SN3: Stra S 5A **22**
Burghley Cl. SN3: Swin 2G **29**
Burlongs, The SN4: Woot B 4C **24**
Burnet Cl. SN2: Swin 2G **19**
Burnham Rd. SN3: Swin 2A **30**
Burns Way SN2: Stra S 2F **21**
Burycroft SN4: Wan 4F **31**
Buryfield SN5: Lyd M 5A **18**
Burytown La. SN26: Blun 2D **12**
Buscot Cl. SN25: Swin 5H **11**
Bute Cl. SN6: High 3E **9**
Butleigh Rd. SN25: Swin 5F **11**
Buttermere SN3: Swin 5D **30**
Butterworth St. SN1: Swin 3B **28** (5A **4**)
Butts Business Cen. SN4: Chi 5C **34**
Butts Rd. SN4: Chi 6C **34**
Bydemill Gdns. SN6: High 5D **8**
Byfield Way SN3: Stra S 6A **22**
Byrd Cl. SN5: Swin 3C **26**
Byre Cl. SN6: Crick 3E **7**
Byron Av. SN4: Woot B 3E **25**
Byron Ct. SN3: S Mars 1D **22**
Byron St. SN1: Swin 3D **28** (5F **5**)

C

Cabot Dr. SN5: Swin 2C **26**
Cadley Cl. SN2: Swin 4E **21**
Caen Vw. SN2: Swin 4H **27**
Caernarvon Wlk. SN3: Swin 6G **29**
Cagney Dr. SN25: Swin 1B **20**
Cairndow Way SN2: Stra S 1F **21**
CALCUTT 2H **7**
Calcutt St. SN6: Crick 2F **7**
Calder Cl. SN25: Swin 1A **20**
Callaghan Cl. SN3: Stra S 4A **22**
Callas Hill SN4: Wan 5H **31**
Callas Ri. SN4: Wan 5H **31**
Callenders SN5: Swin 3H **27**
Callington Rd. SN25: Swin 6E **11**
Calne Rd. SN11: Goat 6D **36**
  SN15: Goat, Lyne 2E **37**
Calstock Rd. SN25: Swin 6E **11**
Cambria Bri. Rd. SN1: Swin 3B **28** (5B **4**)
Cambria Pl. SN1: Swin 3B **28** (5B **4**)
Cambridge Cl. SN3: Swin 5G **29**
Camdale Pde. SN2: Swin 5E **21**
Camden Cl. SN5: Swin 3D **26**
Cameron Cl. SN3: Stra S 5H **21**
Campden Rd. SN3: Swin 3F **29**
Campion Ga. SN5: Swin 3C **26**
Camton Rd. SN5: Swin 1C **26**
Canal Wlk. SN1: Swin 2C **28** (4D **4**)
Canford Cl. SN3: Swin 2B **30**
Canney, The SN4: Chi 6C **34**
Canney Cl. SN4: Chi 6C **34**
Cannons Health Club 6G **21**
Cannons Ind. Est. SN4: Woot B 5D **24**
Cannon St. SN1: Swin 3D **28** (6F **5**)
Canon Hill's Gdns. SN6: Shriv 6F **17**
Cantelo Cl. SN3: Swin 5A **12**
Canterbury Cl. SN3: Swin 5G **29**
Capella Cres. SN25: Swin 5E **11**
Capesthorne Dr. SN25: Swin 6H **11**
Capital Cl. SN3: Stra S 5C **22**
Caprice Cl. SN5: Swin 1D **26**
Caradon Wlk. SN25: Swin 5F **11**
Caraway Dr. SN2: Swin 2F **19**
Cardigan Cl. SN3: Swin 4F **29**
Cardwell Cl. SN3: Swin 1A **30**
Carey Cl. SN5: Swin 3D **26**
Carfax Cl. SN1: Swin 2D **28** (3E **5**)
Carfax Rdbt. SN1: Swin 2D **5**
Carfax St. SN1: Swin 2D **28** (3E **5**)
Carisbrook Ter. SN4: Chi 6B **34**
Carlisle Av. SN3: Swin 5E **29**
Carlshalton Rd. SN3: Swin 5A **30**
Carlton Ga. SN3: Swin 1G **33**
Carman Cl. SN3: Stra S 5A **30**
Carmel Wlk. *SN3: Swin* 3G **29**
  (off Woodhouse Rd.)
Carpenters La. SN2: Swin 6E **21**

Carroll Cl. SN3: Swin 4C **30**
Carronbridge Rd. SN5: Swin 2E **27**
Carr St. SN1: Swin 2C **28** (3D **4**)
Carstairs Av. SN3: Swin 5H **29**
Carter Cl. SN3: Swin 6D **12**
Cartwright Dr. SN5: Swin 6D **18**
Cassini Dr. SN25: Swin 5E **11**
Casson Rd. SN3: Stra S 4H **21**
Castalian M. SN1: Swin 1D **26**
Castle Dore SN5: Swin 3D **26**
Castlefield Cl. SN5: Swin 2E **27**
Castleton Rd. SN5: Swin 1D **26**
Castle Vw. SN4: Chi 6C **34**
Castleview Rd. SN3: Stra S 5B **22**
Catherine Cl. SN6: Shriv 6F **17**
Catherine St. SN1: Swin 2C **28** (3D **4**)
Catherine Wayte Cl. SN25: Swin 2A **20**
Catmint Cl. SN2: Swin 2G **19**
Caulfield Rd. SN2: Swin 6E **21**
Cavendish Sq. SN3: Swin 4H **29**
Caversham Ct. SN3: Swin 3G **29**
Cavie Cl. SN5: Swin 6D **18**
Caxton Cl. SN3: Swin 4G **29**
Caxton Cl. SN3: Swin 4G **29**
(off Caxton Cl.)
Cayenne Pk. SN2: Swin 2F **19**
Cecil Rd. SN3: Swin 2H **29**
Cedars, The SN5: Pur 5B **10**
Cedars Cl. SN2: Swin 4B **20**
Centurion Way SN3: Stra S 6B **22**
Century Rd. SN5: Swin 5E **19**
Chalford Av. SN3: Swin 1A **30**
Chalgrove Fld. SN5: Swin 5D **26**
Chalvedon Grn. SN3: Swin 3G **29**
(off Bilborough Dr.)
Chamberlain Rd. SN3: Stra S 4H **21**
Chancellor Cl. SN5: Swin 2C **26**
Chandler Cl. SN1: Swin 6G **5**
Chandos Cl. SN3: Swin 2D **26**
Chantry Rd. SN2: Swin 3A **20**
Chapel Hill SN6: Watch 3F **17**
SN26: Blun 2C **12**
Chapel La. SN3: S Mars 1D **22**
SN4: Wan 5H **31**
Chapel Orchard SN4: Wan 5H **31**
Chapel St. SN2: Swin 6E **21**
Chapelwick Cl. SN6: Shriv 6E **17**
Charfield Cl. SN3: Swin 4H **29**
Charlbury Cl. SN25: Swin 3A **20**
Charlbury Rd. SN5: Swin 6E **17**
Charles MacPherson Gdns.
SN3: Swin 3B **30**
Charlock Path SN25: Swin 6G **11**
Charlotte M. SN1: Swin 4E **29**
Charlton Cl. SN2: Swin 1E **21**
Charlton Ho. SN3: Swin 3E **29** (6H **5**)
Charminster Cl. SN3: Swin 2B **30**
Charolais Dr. SN5: Swin 1D **26**
Charterhouse Rd. SN4: Wro 4A **32**
Chartley Grn. SN5: Swin 3D **26**
Chase Wood SN5: Swin 5D **18**
Chastleton Rd. SN25: Swin 5H **11**
Chatsworth Rd. SN25: Swin 1A **20**
Chaucer Cl. SN4: Woot B 2D **24**
Cheddar Rd. SN5: Swin 3H **19**
Chedworth Ga. SN3: Swin 1G **33**
Chelmsford Rd. SN5: Swin 1F **27**
Cheltenham St. SN1: Swin 1C **28** (2D **4**)
Chelworth Cl. SN25: Swin 3H **19**
Chelworth Ind. Est. SN6: Crick 5B **6**
CHELWORTH LOWER GREEN 5B **6**
Chelworth Rd. SN6: Crick 4C **6**
CHELWORTH UPPER GREEN 4B **6**
Cheney Mnr. Ind. Est. SN2: Swin 5H **19**
Cheney Mnr. Rd. SN2: Swin 6A **20**
(not continuous)
Chepstow Cl. SN5: Swin 5F **27**
Cheraton Cl. SN3: Swin 1A **30**
Cherbury Wlk. SN3: Swin 2H **29**
Cherhill Cl. SN25: Swin 3H **19**
Cherry Brier Cl. SN5: Lyd M 6A **18**
Cherry Orchard SN6: High 4F **9**
Cherry Orchard E. SN2: Swin 4F **21**
Cherry Orchard Nth. SN2: Swin 4E **21**
Cherry Orchard W. SN2: Swin 4E **21**
Cherry Tree Gro. SN2: Swin 4D **20**

Cherry Tree Rd. SN6: Crick 2D **6**
Chervil Cl. SN2: Swin 2F **19**
Chesford Cl. SN3: Swin 5H **29**
Chesterfield Cl. SN5: Swin 2F **27**
Chesters, The SN5: Swin 2F **27**
Chester St. SN1: Swin 2C **28** (4C **4**)
Chestnut Av. SN2: Swin 3D **20**
Chestnut Springs SN5: Lyd M 6A **18**
Chevalier Cl. SN5: Swin 1C **26**
Cheviot Cl. SN5: Swin 2D **26**
Chickerell Rd. SN3: Swin 2H **29**
Chilcombe Cl. SN25: Swin 3F **19**
Chilton Gdns. SN25: Swin 3A **20**
Chilworth Cl. SN25: Swin 1H **19**
Chippenham Cl. SN2: Swin 6C **12**
Chippenham Rd. SN15: Lyne 1C **36**
Chippenham Wlk. SN2: Swin 6C **12**
CHISELDON 6C **34**
Chiseldon Cl. SN4: Chi 6C **34**
Chives Way SN2: Swin 2G **19**
Chobham Cl. SN3: Stra S 1H **21**
Christie Cl. SN3: Swin 4C **30**
Chudleigh SN5: Swin 4E **27**
CHURCH END 3E **37**
Church End SN5: Pur 3A **18**
Church End Cl. SN15: Lyne 3E **37**
Church Farm La. SN3: S Mars 2D **22**
Churchfield SN25: Swin 2A **20**
Church Ground SN3: S Mars 2E **23**
Church Hill SN4: Wro 5A **32**
Church Hill Cl. SN4: Woot B 4F **25**
Churchill Av. SN26: Blun 2D **12**
Church La. SN6: Crick 2E **7**
SN15: Lyne 3F **37**
Church Pk. SN15: Brad 2A **36**
Church Path SN5: Pur 5C **10**
Church Pl. SN1: Swin 2B **28** (4A **4**)
SN5: Lyd M 5A **18**
Church Rd. SN1: Swin 4E **29**
SN4: Lidd 3G **35**
SN4: Wan 6G **31**
Church St. SN3: Stra S 3A **22**
SN4: Chi 6C **34**
SN4: Woot B 3B **24**
SN5: Pur 5C **10**
Church Vw. SN6: High 4E **9**
Church Wlk. SN3: Stra S 3G **21**
SN6: Shriv 5F **17**
Church Wlk. Nth. SN25: Swin 3A **20**
Church Wlk. Sth. SN2: Swin 3A **20**
Churchward Av. SN2: Swin 5B **20**
Church Way SN3: Stra S 4A **22**
Churchway SN26: Blun 2D **12**
Cineworld Cinema 6G **21**
Circle, The SN2: Swin 3D **20**
Cirencester Ct. SN1: Swin 3E **29** (6G **5**)
Cirencester Way SN2: Swin 4E **21**
Clanfield Rd. SN3: Swin 3A **30**
Claremont Ct. SN25: Swin 3C **20**
Clarence St. SN1: Swin 3D **28** (4F **5**)
Clarendon Dr. SN4: Woot B 4D **24**
Clarendon La. SN1: Swin 3B **28** (6A **4**)
Clare Wlk. SN5: Swin 4E **27**
Clarke Dr. SN5: Swin 6E **19**
Clary Rd. SN2: Swin 2F **19**
Claydon Rd. SN25: Swin 5H **11**
Clayhill Copse SN5: Swin 4D **18**
Claypits La. SN6: Shriv 5F **17**
Clays Cl. SN2: Stra S 4E **21**
Cleasby Cl. SN5: Swin 2G **27**
Cleeve Lawns SN3: Swin 5G **29**
Clementine Rd. SN25: Swin 5D **10**
Clevedon Cl. SN3: Swin 2H **29**
Cleverton Ct. SN2: Swin 1D **20**
Cleves Cl. SN5: Swin 2D **26**
Cleycourt Rd. SN6: Shriv 6D **16**
Cliffords SN6: Crick 2E **7**
Clifton St. SN1: Swin 3C **28** (6B **4**)
Clinton Cl. SN5: Swin 4C **26**
Clive Pde. SN2: Swin 3E **21**
Cloche Way SN2: Stra S 3F **21**
Close, The SN5: Lyd M 6A **18**
Cloudberry Rd. SN25: Swin 1H **19**
Clouts Wood SN5: Swin 4D **18**
Cloverlands SN25: Swin 2G **19**
Clover Pk. SN5: Swin 2H **19**
Clyde Cotts. SN4: Wro 2C **32**

Clydesdale Cl. SN5: Swin 1D **26**
COATE 6B **30**
Coate Rdbt. SN3: Swin 5A **30**
Coate Water Country Pk. 1A **34**
Coatside Way SN3: Swin 1C **34**
Cobbett Cl. SN25: Swin 5B **12**
Cobden Rd. SN2: Swin 6B **20**
Cobham Cen. SN5: Swin 1G **27**
Cockleberry Rdbt. SN2: Swin 1D **28** (1E **5**)
Cockram Ct. SN1: Swin 3F **5**
Colbert Pk. SN25: Swin 6A **12**
Colbourne St. SN1: Swin 1E **29** (1G **5**)
Colchester Cl. SN5: Swin 4G **27**
Colebrook Cl. SN3: Stra S 5A **22**
Colebrook Rd. SN3: Stra S 6A **22**
Cole Cl. SN5: Swin 2C **30**
Coleridge Cl. SN4: Woot B 2D **24**
Coleridge Rd. SN25: Swin 6A **12**
College Ct. SN1: Swin 5E **5**
(off Regent Cir.)
College Grn. SN4: Wan 5G **31**
College Rd. SN5: Pur 5C **10**
College St. SN1: Swin 2D **28** (4E **5**)
Collett Av. SN2: Swin 5B **20**
Collingsmead SN3: Swin 3B **30**
Collins La. SN5: Pur 5C **10**
Colman Pk. SN25: Swin 6B **12**
Coln Cres. SN25: Swin 2B **20**
Colston Cl. SN3: Swin 4H **29**
Colton Rd. SN6: Shriv 6D **16**
Combe La. SN11: Goat 6D **36**
Comet Cl. SN15: Lyne 3F **37**
Comfrey Cl. SN2: Swin 2G **19**
Commercial Rd. SN1: Swin 2C **28** (4C **4**)
Common, The SN5: Pur 4B **10**
Common Cl. SN6: Shriv 5F **17**
Common Head Rdbt. SN3: Swin 1D **34**
COMMON HILL 3C **6**
Common Hill SN6: Crick 3C **6**
Common Platt SN5: Swin 3C **18**
Commonweal Rd. SN1: Swin 5C **28**
Compton Cl. SN3: Swin 4B **30**
Conan Doyle Wlk. SN3: Swin 4C **30**
Concord Wlk. SN3: Swin 3G **29**
(off Rutland Dr.)
Conisborough SN5: Swin 3F **27**
Connelly Cl. SN25: Swin 1F **19**
Conrad Cl. SN3: Swin 4C **30**
Constable Rd. SN2: Swin 4F **21**
Constantine Cl. SN3: Stra S 6C **22**
Conway Rd. SN3: Swin 5B **30**
Conyers Cl. SN5: Swin 4C **26**
Cookham Rd. SN25: Swin 5F **11**
Coombe Cl. SN4: Wro 5D **32**
Coombe Rd. SN25: Swin 3A **20**
Cooper Flds. SN25: Swin 1B **20**
Coped Hall Bus. Pk. SN4: Woot B 1E **25**
Coped Hall Rdbt. SN4: Woot B 1E **25**
Copper Beeches SN6: High 5E **9**
Coppice Cl. SN2: Swin 3G **19**
Copse, The SN26: Blun 2C **12**
Copse Av. SN1: Swin 6F **21**
Corby Av. SN3: Swin 5F **29**
Corfe Cl. SN25: Swin 2B **20**
Corfe Rd. SN5: Swin 4E **27**
Coriander Way SN2: Swin 1G **19**
Corinium Way SN3: Stra S 6B **22**
Cornflower Rd. SN25: Swin 2G **19**
Cornmarsh Way SN3: Swin 1D **30**
Cornwall Av. SN2: Swin 5B **20**
Coronation Rd. SN4: Wro 4B **32**
Corporation St. SN1: Swin 1D **28** (1E **5**)
Corral Cl. SN5: Swin 5D **18**
Corsham Rd. SN5: Swin 1D **20**
Corton Cres. SN5: Swin 2E **27**
Cosford Cl. SN4: Wro 6E **33**
Coterie, The SN1: Swin 5C **4**
Cotswold Way SN6: High 4E **9**
Cottars Cl. SN3: Stra S 3A **22**
Cottington Cl. SN5: Swin 4D **26**
County Ground 1E **29** (2H **5**)
County Pk. SN1: Swin 6G **21**
County Rd. SN1: Swin 1E **29** (1G **5**)
Courtenay Rd. SN3: Swin 2H **29**
Courtsknap Ct. SN1: Swin 3B **28** (5A **4**)
Coventry Cl. SN4: Wro 3C **32**
COVINGHAM 1B **30**

Covingham Dr. SN3: Swin 6B 22
Covingham Sq. SN3: Swin 1B 30
Cowdrey Cl. SN5: Swin 4E 27
Cowleaze Cl. SN6: Shriv 6E 17
Cowleaze Cres. SN4: Wro 4A 32
Cowleaze Wlk. SN2: Stra S 2F 21
Cowley Wlk. SN3: Swin 3A 30
Cox's Rd. SN6: Shriv 6E 17
Coxstalls SN4: Woot B 3C 24
Crabtree Copse SN5: Swin 4D 18
Crampton Rd. SN3: Swin 1H 29
Cranborne Chase SN25: Swin 2F 19
Crane Furlong SN6: High 3F 9
Cranmore Av. SN3: Swin 4H 29
Crawford Cl. SN5: Swin 4D 26
Crawley Av. SN3: Stra S 5A 22
Crescent, The SN5: Swin 4C 18
CRICKLADE 2F 7
Cricklade Ct. SN1: Swin 4E 29
(off Cricklade St.)
Cricklade Leisure Cen. 2D 6
Cricklade Mus. 2F 7
Cricklade Rd. SN2: Stra S 1E 21
SN2: Swin 5D 12
Cricklade Rd. SN5: Pur S 6D 6
SN6: Blun .3C 12
SN6: Crick, Pur S 6D 6
SN6: High, Stan F 6A 8
SN25: Swin 5D 12
SN26: Blun 3C 12
Cricklade St. SN1: Swin 4E 29 (6G 5)
Crieff Cl. SN3: Swin 2A 30
Crispin Cl. SN3: Stra S 3A 22
Croft Gallery, The 4E 29
(off Devizes Rd.)
Croftmead SN1: Swin 6D 28
Croft Rd. SN1: Swin, Wro 1D 32
Croft Rdbt. SN1: Swin 1D 32
Croft Sports Cen. 5E 29
Crombey St. SN1: Swin 3C 28 (5C 4)
Cromer Ct. SN3: Swin 5C 30
(off Liden Dr.)
Crompton Rd. SN25: Swin 6E 13
Cromwell SN5: Swin 5E 27
Crosby Wlk. SN3: Swin 5H 29
Crosslink Cen., The SN2: Stra S 2G 21
Cross St. SN1: Swin 3D 28 (6F 5)
Crossways Av. SN2: Swin 3D 20
Crosswood Rd. SN3: Swin 4H 29
Crudwell Way SN2: Swin 6D 12
Cuckoo's Mead SN3: Swin 2D 30
(off Magpie La.)
Cullerne Rd. SN3: Stra S 5B 22
Cullerns, The SN6: High 4F 9
Culpepper Cl. SN3: Swin 4H 29
CULVERHAY 2E 7
Cumberland Rd. SN3: Swin 2F 29 (4H 5)
Cunetio Rd. SN3: Stra S 6B 22
Cunningham Rd. SN2: Swin 4B 20
Curnicks, The SN4: Chi 6B 34
Curtis Rd. SN6: Shriv 6D 16
Curtis St. SN1: Swin 3C 28 (5C 4)
Cypress Gro. SN2: Swin 3B 20

D

Dacre Rd. SN3: Swin 2H 29
Dairy Rd. SN4: Burd 6G 33
Daisy Cl. SN2: Swin 3F 19
Dalefoot Cl. SN5: Swin 5C 18
Dales Cl. SN25: Swin 5B 12
Dallas Av. SN3: Swin 1A 30
Dalton Cl. SN3: Swin 1G 29
Dalwood Cl. SN3: Swin 5A 30
Dammas La. SN1: Swin 4E 29
Damson Trees SN6: Shriv 6D 16
Danestone Cl. SN5: Swin 1C 26
Daniel Cl. SN1: Swin 4A 28
Daniel Gooch Ho. SN2: Swin 1A 4
Daniels Ct. SN4: Chi 6C 34
(off Dewey Cl.)
Darby Cl. SN2: Swin 5H 19
Darcey Cl. SN5: Swin 2C 26
Darius Way SN25: Swin 6B 12
Darling Cl. SN3: Stra S 5H 21
Darnley Cl. SN3: Swin 2G 29

Dart Av. SN25: Swin 3B 20
Dartmoor Cl. SN1: Swin 4A 28
Darwin Cl. SN3: Swin 1A 30
Davenham Cl. SN3: Swin 5H 29
Davenwood SN2: Stra S 2G 21
Dave Watkins Ct. SN2: Stra S 3G 21
David Murray John Bldg.
SN1: Swin 4D 4
David Stoddart Gdns. SN2: Swin 5D 20
Davis Ho. SN1: Swin 3F 5
Davis Pl. SN1: Swin 4D 4
Dawlish Rd. SN3: Swin 3A 30
Day Ho. La. SN3: Swin 6A 30
SN4: Swin 6A 30
Day's Cl. SN3: Stra S 5H 21
Days Ground SN6: Shriv 5F 17
Deacon St. SN1: Swin 3C 28 (6D 4)
Deansfield SN6: Crick 3E 7
Dean St. SN1: Swin 3A 28 (5A 4)
Deben Cres. SN25: Swin 1A 20
Deburgh St. SN1: Swin 2A 28
Deerhurst Way SN5: Swin 4G 27
Delamere Dr. SN3: Stra S 2H 21
DELTA 3G 27
Delta Bus. Pk. SN5: Swin 2G 27
Delta Tennis Cen. 2G 27
Denbeck Wood SN5: Swin 2E 27
Denbigh Cl. SN3: Swin 5F 29
Deneb Dr. SN25: Swin 5E 11
Denholme Rd. SN3: Swin 5H 29
Denton Ct. SN3: Stra S 4A 22
Derryck Evans Ho. SN3: Swin 4D 30
Derwent Dr. SN2: Stra S 2F 21
(not continuous)
Desborough SN5: Swin 5D 26
Deva Cl. SN3: Stra S 6C 22
Devereux Cl. SN5: Swin 3C 26
Devizes Rd. SN1: Swin 4E 29
SN4: Wro .4C 32
Devon Rd. SN3: Swin 5B 20
Dewberry Cl. SN25: Swin 2A 20
Dewell M. SN3: Swin 5E 29
Dewey Cl. SN4: Chi 6C 34
Dexter Cl. SN5: Swin 1E 27
Dickens Cl. SN3: Swin 5C 30
Dickenson Rd. SN25: Swin 1F 19
Dickson Rd. SN15: Lyne 4E 37
Dingle, The SN4: Wan 5G 31
Dinmore Rd. SN25: Swin 6A 12
Dione Cres. SN25: Swin 5E 11
Divinity Cl. SN4: Wan 5H 31
Dixon St. SN1: Swin 3C 28 (6D 4)
Dobbin Cl. SN3: Swin 1D 30
Dobson Cl. SN25: Swin 4B 12
Dockle Way SN2: Stra S 2G 21
DOGRIDGE 6A 10
Dogridge SN5: Pur 6A 10
Don Cl. SN25: Swin 2B 20
Donnington Gro. SN3: Swin 4G 29
DORCAN 3C 30
Dorcan Bus. Village SN3: Swin 2D 30
Dorcan Complex, The SN3: Swin 3D 30
Dorcan Ho. SN3: Swin 3C 30
Dorcan Recreation Complex 2C 30
Dorcan Way SN3: Swin 6A 22
Dorchester Rd. SN3: Swin 5G 29
Dores Ct. SN2: Stra S 3F 21
Dores Rd. SN2: Stra S 3E 21
Dormers, The SN6: High 4F 9
Dorney Rd. SN3: Swin 4F 11
Dorset Grn. SN3: Swin 4A 20
Douglas Rd. SN3: Swin 2G 29
Dovedale Rd. SN3: Swin 5A 12
Dover St. SN1: Swin 3D 28 (6E 5)
Dovetrees SN3: Swin 1C 30
Dowlais Cl. SN25: Swin 6F 11
Dowland Cl. SN25: Swin 5H 11
Dowling St. SN1: Swin 3D 28 (5E 5)
Downland Rd. SN2: Swin 2G 19
Downs Ho. SN4: Chi 6D 34
Downs Vw. SN4: Woot B 4C 24
SN5: Lyd M 6A 18
SN6: High .4F 9
Downs Vw. Rd. SN3: Swin 6G 29
Downs Way SN3: Swin 1D 34
Downton Rd. SN2: Swin 1C 20

Doyle Cl. SN25: Swin 1F 19
Drakes Mdw. SN3: Swin 1G 29
Drakes Rdbt. SN3: Swin 2F 29
Drakes Way SN3: Swin 2F 29
(not continuous)
Draycott Cl. SN3: Swin 3H 29
Draycott Rd. SN4: Chi 6B 34
Drayton Wlk. SN3: Swin 2G 29
Drew St. SN3: Swin 1H 27
Drive, The SN3: Swin 1A 30
Dr. Behr Ct. SN2: Swin 4D 20
Drive Rdbt., The SN3: Swin 2C 30
Drove Rd. SN1: Swin 3E 29 (3H 5)
Dryden Pl. SN4: Woot B 2E 25
Dryden St. SN1: Swin 3C 28 (5C 4)
Duchess Way SN2: Stra S 1E 21
Dudley Rd. SN3: Swin 2G 29
Dudmore Rd. SN3: Swin 2F 29 (3H 5)
Dukes Cl. SN3: Swin 1D 30
Dulverton Av. SN3: Swin 3H 29
Dumbarton Ter. SN1: Swin 3D 28 (6F 5)
Dunbar Rd. SN4: Wro 3B 32
Dunbeath Ct. SN2: Swin 5F 21
Dunbeath Rd. SN2: Swin 5F 21
Dunley Cl. SN25: Swin 5G 11
Dunnington Rd. SN4: Woot B 5C 24
Dunraven Cl. SN3: Swin 4G 29
Dunsford Cl. SN1: Swin 4A 28 (6A 4)
Dunster Cl. SN3: Swin 5F 29
Dunvant Rd. SN25: Swin 5F 11
Dunwich Dr. SN5: Swin 3G 27
Durham St. SN1: Swin 3D 28 (5F 5)
Durnford Rd. SN3: Swin 1D 30
Durrington Wlk. SN2: Swin 1D 20
Dyke M. SN4: Chi 6C 34

E

Eagle Cl. SN3: Swin 1D 30
Eagle La. SN6: Watch 3F 17
Ealing Way SN25: Swin 6A 12
Earl Cl. SN5: Swin 1C 26
Eastbury Way SN25: Swin 5H 11
Eastcott Hill SN1: Swin 3D 28 (6E 5)
(not continuous)
Eastcott Rd. SN1: Swin 4D 28 (6E 5)
East Dr. SN3: Blun 4A 12
Eastern Av. SN3: Swin 2F 29
EASTLEAZE 2F 27
Eastleaze Rd. SN5: Swin 2F 27
Eastleaze Rdbt. SN5: Swin 2F 27
Eastmere SN3: Swin 5C 30
EASTROP 5F 9
Eastrop SN6: High 5F 9
East St. SN1: Swin 2C 28 (3C 4)
Eastville Rd. SN25: Swin 3D 20
Eastwood Av. SN4: Woot B 4D 24
Eaton Cl. SN3: Swin 5H 29
Eaton Wood SN5: Swin 4D 18
Ebor Cl. SN25: Swin 5A 12
Eccleston Cl. SN3: Swin 5F 29
Ecklington SN3: Swin 3B 30
Edale Moor SN3: Swin 5D 30
Edencroft SN6: High 3G 9
Edgar Row Cl. SN4: Wro 4B 32
Edgehill SN3: Swin 5E 27
Edgeware Rd. SN1: Swin 2D 28 (4E 5)
Edgeworth Cl. SN5: Swin 1F 27
Edinburgh St. SN2: Swin 5E 21
Edington Cl. SN5: Swin 3E 27
Edison Rd. SN3: Swin 3C 30
Edison Rdbt. SN3: Swin 3C 30
Edmund St. SN1: Swin 3D 28 (5E 5)
Egerton Cl. SN3: Swin 1A 30
Eider Av. SN15: Lyne 4E 37
Elborough Rd. SN2: Swin 3G 19
Elcombe Av. SN4: Wro 4A 32
ELDENE 3B 30
Eldene Cen. SN3: Swin 4B 30
Eldene Dr. SN3: Swin 4B 30
Elder Cl. SN2: Swin 3F 19
Elgar Cl. SN25: Swin 5H 11
Elgin Dr. SN3: Swin 5F 21
Elgin Ind. Est. SN2: Swin 5F 21
Eliot Cl. SN3: Swin 5C 30
Elizabeth Ho. SN3: Swin 2G 29

Ellendune Shop. Cen. SN4: Wro 4B **32**
Ellingdon Rd. SN4: Wro 3A **32**
Elm Cl. SN4: Woot B 1D **24**
　SN15: Lyne 3G **37**
Elm Ct. SN4: Woot B 4C **24**
Elm Gro. SN5: Swin 6D **18**
Elmina Rd. SN1: Swin 1D **28** (1F **5**)
Elmore SN3: Swin 3B **30**
Elm Pk. SN4: Woot B 4C **24**
Elm Rd. SN2: Swin 4B **20**
Elms, The SN5: Swin 6C **18**
　SN6: High 5E **9**
Elmswood Cl. SN2: Stra S 1F **21**
Elsham Way SN25: Swin 1A **20**
Elsie Hazel Ct. SN5: Swin 4D **26**
Elstree Way SN25: Swin 5B **12**
Ely Cl. SN5: Swin 4F **27**
Ely Ct. SN4: Wro 5B **32**
Embankment Rdbt. SN3: Swin 5E **29**
Emerson Cl. SN25: Swin 6B **12**
Emlyn Sq. SN1: Swin 2C **28** (3C **4**)
Emmanuel Cl. SN25: Swin 2B **20**
Empire Ct. SN1: Swin 5F **5**
Enford Av. SN2: Swin 6D **12**
Englefield SN4: Woot B 4D **24**
Ensor Cl. SN25: Swin 4B **12**
Enterprise Works SN2: Swin 6F **21**
Eric Long Ct. SN3: Swin 4C **30**
Erin Ct. SN1: Swin 3B **28** (6A **4**)
Erlestoke Way SN2: Swin 6D **12**
Ermin M. SN3: Stra S 3A **22**
Ermin St. SN2: Stra S 1G **21**
　SN3: Stra S 3A **22**
　　　　　　　　　(not continuous)
　SN25: Blun 2B **12**
　SN26: Blun 2B **12**
Ermin Way SN6: Calc, Crick 1F **7**
Eshton Wlk. SN25: Swin 5H **29**
Espringham Ho. SN2: Stra S 2F **21**
　　　　　　　(off Hathaway Rd.)
Espringham Pl. SN2: Stra S 2F **21**
Essex Wlk. SN3: Swin 2G **29**
Euclid St. SN1: Swin 2D **28** (4F **5**)
Europa Ind. Pk. SN3: Stra S 3G **21**
Europark SN5: Swin 6C **26**
Euro Way SN5: Swin 5B **26**
Euroway SN5: Swin 6C **26**
Eveleigh Rd. SN4: Woot B 3D **24**
Evelyn St. SN3: Swin 5E **29**
EVEN SWINDON 1A **28** (2A **4**)
Evergreens Cl. SN3: Stra S 5B **22**
Everleigh Rd. SN2: Swin 1D **20**
Eworth Cl. SN5: Swin 3C **26**
Exbury Cl. SN25: Swin 6B **12**
Exe Cl. SN25: Swin 2B **20**
Exeter St. SN1: Swin 2B **28** (4B **4**)
Exmoor Cl. SN25: Swin 2F **19**
Exmouth St. SN1: Swin 3B **28** (6B **4**)
EYSEY 1H **7**

F

Fairfax Cl. SN3: Swin 1G **29**
Fairfield SN4: Woot B 2D **24**
Fairford Cres. SN2: Swin 2E **21**
Fairholm Way SN2: Stra S 1G **21**
Fairlawn SN3: Swin 5C **30**
Fairthorne Way SN6: Shriv 6E **17**
Fair Vw. SN6: High 4E **9**
Fairview SN1: Swin 3C **28** (6C **4**)
Falconer M. SN25: Swin 6C **12**
Falconscroft SN3: Swin 6B **22**
Falkirk Rd. SN4: Wro 3B **32**
Falklands SN4: Wro 6F **33**
Falmouth Gro. SN3: Swin 4F **29**
Fanstones Rd. SN3: Swin 4A **30**
Faraday Pk. SN3: Swin 3D **30**
Faraday Rd. SN3: Swin 3D **30**
Fareham Cl. SN3: Swin 3A **30**
Farfield SN6: Crick 2E **7**
Farfield La. SN6: Crick 6F **7**
Faringdon Rd. SN1: Swin 3B **28** (5B **4**)
　SN6: Shriv 5F **17**
　SN6: Watch 4G **17**
Farleigh Cres. SN3: Swin 5F **29**
Farleigh Rd. SN6: Shriv 6D **16**

Farman Cl. SN3: Swin 4B **30**
Farmer Cres. SN25: Swin 6D **12**
Farmhouse La. SN1: Swin 1F **29**
Farnborough Rd. SN3: Swin 5A **30**
Farne Way SN4: Woot B 3F **25**
Farnsby St. SN1: Swin 2C **28** (4C **4**)
Farrfield SN2: Stra S 2F **21**
Farriers Cl. SN1: Swin 6F **21**
Farthing La. SN15: Lyne 1E **37**
Fawley Cl. SN25: Swin 4F **11**
Feather Wood SN5: Swin 3G **27**
Fenland Cl. SN5: Swin 6C **18**
Fennel Cl. SN2: Swin 2G **19**
Fernham Av. SN25: Swin 5H **11**
Ferndale Rd. SN2: Swin 6A **20**
Fernham Rd. SN3: Swin 3A **20**
Ferns, The SN2: Swin 6D **20**
Ferrers Dr. SN5: Swin 4C **26**
Fessey Ho. SN25: Swin 1H **19**
Fieldfare SN3: Swin 1C **30**
Field Ri. SN1: Swin 5B **28**
Fields, The SN3: Stra S 5H **21**
Figsbury Cl. SN25: Swin 1F **19**
Filsham Rd. SN25: Swin 5F **11**
Finchdale SN3: Swin 6C **22**
Firecrest Vw. SN3: Swin 2D **30**
Firth Cl. SN25: Swin 3B **20**
Fir Tree Cl. SN2: Swin 4B **20**
Fitwell Rd. SN25: Swin 5F **11**
Fitzmaurice Cl. SN3: Swin 1C **30**
Fitzroy Rd. SN1: Swin 6D **28**
Fiveways Rdbt. SN5: Swin 2E **27**
Fleet St. SN1: Swin 2C **28** (3D **4**)
Fleetwood Ct. SN5: Swin 5D **26**
Fleming Way SN1: Swin 2D **28** (3E **5**)
Flint Hill SN5: Swin 4F **27**
Florence St. SN2: Swin 6D **20**
Folkestone Rd. SN1: Swin ...4C **28** (6D **4**)
Folly Cl. SN6: High 3F **9**
Folly Dr. SN6: High 3F **9**
Folly Cres. SN6: High 3F **9**
　SN6: Watch 3G **17**
Folly Way SN6: High 3F **9**
Fonthill Wlk. SN3: Swin 3F **29**
Ford St. SN1: Swin 3B **28** (5A **4**)
Forester Cl. SN3: Swin 4C **30**
Forge Flds. SN5: Lyd M 6A **18**
Forrest Cl. SN3: Swin 1D **30**
Forsey Cl. SN3: Swin 1D **30**
Forty, The SN6: Crick 3E **7**
Forum, The SN5: Swin 3F **27**
Forum Cl. SN3: Stra S 6B **22**
Fosse Cl. SN2: Swin 2A **28**
Fosseway Cl. SN1: Swin 3C **28** (5D **4**)
Foundry Ri. SN4: Chi 6C **34**
Fovant Cl. SN5: Swin 5D **18**
Fowey SN5: Swin 5D **26**
FOX, THE 3B **18**
Fox, The SN5: Pur 3B **18**
Foxbridge SN3: Swin 1C **30**
Fox Brook SN4: Woot B 3E **25**
Foxglove Rd. SN3: Swin 1G **19**
Foxhill Cl. SN25: Swin 3A **20**
Foxleaze SN6: Crick 1E **7**
Foxley Cl. SN2: Stra S 2F **21**
Fox Wood SN5: Swin 3G **27**
Frampton Cl. SN5: Swin 2E **27**
Francomes SN25: Swin 2H **19**
Frankland Rd. SN5: Swin 6C **26**
Frankton Gdns. SN3: Stra S 4A **22**
Frank Warman Ct. SN3: Stra S 3A **22**
Fraser Cl. SN3: Swin 1A **30**
Freegrove Dr. SN15: Lyne 5D **36**
FRESHBROOK 4D **26**
Freshbrook Cen. SN5: Swin 5D **26**
Freshbrook Rdbt. SN5: Swin 4D **26**
Freshbrook Way SN5: Swin 4E **27**
Friars Cl. SN6: Shriv 6D **16**
Friesian Cl. SN3: Swin 1D **26**
Friesland Cl. SN3: Swin 1D **26**
Frilford Dr. SN3: Stra S 5H **21**
Frith Copse SN5: Swin 4D **18**
Fritillary Ct. SN1: Swin 3G **5**
　　　　　　　(off Portsmouth St.)
Frobisher Dr. SN3: Swin 2G **29**
Frome Rd. SN25: Swin 2A **20**

Front La. SN26: Blun 1A **12**
Fry Cl. SN1: Swin 4A **28**
Fuller Cl. SN2: Stra S 1G **21**
Fuller Gdns. SN3: S Mars 2D **22**
Fullers Av. SN6: Crick 2E **7**
Fullerton Wlk. SN1: Swin 4A **28**
Furlong Cl. SN25: Swin 1H **19**
Furze Cl. SN5: Swin 4D **18**
Fyfield Av. SN2: Swin 1D **20**
Fyne Cl. SN5: Swin 4E **19**

G

Gable Cl. SN25: Swin 6C **12**
Gablecross Rdbt. SN3: S Mars 4C **22**
Gabriel Cres. SN3: Swin 4F **11**
Gainsborough Av. SN4: Woot B 2D **24**
Gainsborough Cl. SN5: Swin 3D **26**
Gainsborough Way SN5: Swin 3D **26**
Gairlock Cl. SN5: Swin 4E **19**
Gala Bingo 6G **21**
Gallery, The SN1: Swin 4G **5**
Galley Orchard SN6: Crick 2F **7**
Galloway Cl. SN25: Swin 1D **26**
Galloway Rd. SN25: Swin 1F **19**
Galsworthy Cl. SN3: Swin 4C **30**
Galton Way SN2: Swin 6H **19**
Galvert Rd. SN3: Swin 2F **29**
Gambia St. SN1: Swin 2E **29** (3H **5**)
Gamekeepers Cl. SN25: Swin 5A **12**
Gantlettdene SN3: Swin 2D **30**
Ganton Cl. SN3: Swin 5G **21**
Ganton Way SN2: Swin 5F **21**
Garden, The SN2: Stra S 1F **21**
Gardens, The SN25: Swin 3B **20**
Garfield Cl. SN3: Swin 5B **30**
Garrard Way SN3: Swin 6G **21**
Garraways SN4: Woot B 3F **25**
Garsington Dr. SN25: Swin 6F **11**
Garson Rd. SN3: Swin 6C **12**
Gartons Rd. SN5: Swin 1C **26**
Gas La. SN6: Crick 2E **7**
Gaveller Rd. SN25: Swin 5F **11**
Gaynor Cl. SN25: Swin 6B **12**
Gay's Pl. SN2: Stra S 2G **21**
Gayton Way SN3: Stra S 6A **22**
George Gay Gdns. SN3: Swin 4G **29**
　　　　　　　　(off Wolsely Av.)
George Selman Gdns. SN3: Swin ...2H **29**
　　　　　　　　(off Twyford Cl.)
George St. SN1: Swin 3B **28** (4A **4**)
George Tweed Gdns. SN5: Swin 6D **18**
Gerard Wlk. SN5: Swin 2D **26**
Gibbs Cl. SN3: Swin 1D **30**
Gifford Rd. SN3: Stra S 3A **22**
Gilberts Hill School Ho.
　SN1: Swin 5E **5**
Giles Av. SN6: Crick 3E **7**
Gilling Way SN3: Swin 2C **30**
Gilman Cl. SN25: Swin 4B **12**
Giotto Cl. SN25: Swin 5E **11**
Gipsy La. SN2: Swin 6E **21**
Gladstone St. SN1: Swin 1D **28** (1F **5**)
Gladys Plum Gdns. SN2: Swin 6E **21**
　　　　　　　(off Carpenters La.)
Glebe Pl. SN6: High 4F **9**
Glebe Rd. SN4: Woot B 4C **24**
Glenmore Rd. SN25: Swin 1F **19**
Glenville Cl. SN4: Woot B 5D **24**
Glenwood Cl. SN1: Swin 6D **28**
Glevum Cl. SN5: Pur 4C **10**
Glevum Rd. SN3: Stra S 5B **22**
Globe St. SN1: Swin 4D **28** (6E **5**)
Gloucester Ho. SN1: Swin 6G **21**
Gloucester St. SN1: Swin ...1C **28** (2D **4**)
GOATACRE 6D **36**
Goatacre La. SN11: Goat 6D **36**
Goddard Av. SN1: Swin 4C **28**
Goddard Cl. SN1: Swin 4E **29**
　　　　　　　(off Cricklade St.)
Godolphin Cl. SN5: Swin 5C **26**
Godwin Rd. SN3: Stra S 3A **22**
Goldcrest Wlk. SN3: Swin 1D **30**
Goldsborough Cl. SN5: Swin 2E **27**
Gold Vw. SN1: Swin 4A **28**
Gooch St. SN1: Swin 1D **28** (1E **5**)

Goodrich Ct.—High St.

Goodrich Ct. *SN5: Swin* *4F 27*
(off Affleck Cl.)
Gordon Gdns.
SN1: Swin 2D **28** (3E **5**)
Gordon Rd. SN1: Swin 2D **28** (4F **5**)
Gore Cl. SN25: Swin 6A **12**
GORSE HILL 6E **21**
Goughs Way SN4: Woot B 3E **25**
Goulding Cl. SN3: Stra S 4H **21**
Gower Cl. SN2: Stra S 4G **21**
SN5: Swin 3C **26**
Grafton Rd. SN2: Swin 1D **20**
Graham St. SN1: Swin 1E **29** (1G **5**)
Grailey Cl. SN3: Swin 4B **30**
Granary Cl. SN5: Swin 6C **18**
Grandison Cl. SN5: Swin 2D **26**
Grange Cl. SN4: Wan 5G **31**
SN6: High 5F **9**
Grange Dr. SN3: Stra S 5H **21**
GRANGE PARK 4C **26**
Grange Pk. *SN5: Swin* *3D 26*
(off Grange Pk. Way)
Grange Pk. Way SN5: Swin 3C **26**
Grange, The SN25: Swin 4H **11**
Grantham Cl. SN5: Swin 5E **27**
Grantley Cl. SN3: Swin 5H **29**
Granville St. SN1: Swin 2D **28** (5E **5**)
Grasmere SN3: Swin 5D **30**
Graythwaite Cl. SN25: Swin 6A **12**
Gt. Western Bus. Cen.
SN1: Swin 2B **28** (3B **4**)
GREAT WESTERN HOSPITAL, THE 1C **34**
Gt. Western One Workshops
SN1: Swin 2B **28** (3B **4**)
Gt. Western Outlet Village
SN2: Swin 2B **28** (3A **4**)
Great Western Railway Mus. 2B **28** (3A **4**)
Gt. Western Way SN2: Swin 6B **20** (1A **4**)
SN5: Swin 5B **26**
Green, The SN4: Lidd 3G **35**
SN6: High 5E **9**
SN6: Shriv 6E **17**
SN11: Goat 6D **36**
SN15: Lyne 2E **37**
Greenbridge Ind. Est. SN3: Swin 6G **21**
(not continuous)
Greenbridge Retail and Leisure Pk.
SN3: Swin 6H **21**
Greenbridge Rd. SN3: Swin 1H **29**
Greenbridge Rdbt. SN3: Stra S 6H **21**
Greenfields SN3: S Mars 1D **22**
Greenfields Est. SN15: Lyne 2D **36**
Greenham Wlk. *SN3: Swin* *2H 29*
(off Marlowe Av.)
Greenhill Rd. SN2: Swin 4H **19**
Greenlands Rd. SN2: Stra S 3F **21**
Green La. SN4: Wan 4F **31**
GREENMEADOW 2B **20**
Greenmeadow Av. SN25: Swin 2A **20**
Green Rd. SN2: Stra S 3F **21**
Greensand Cl. SN25: Swin 5A **12**
Green's La. SN4: Wro 5C **32**
Grn. Valley Av. SN25: Swin 2A **20**
Greenway SN4: Tock 1G **37**
SN4: Wan 6G **31**
Greenway Cl. SN3: Swin 1A **30**
Greenway Dr. SN15: Lyne 5D **36**
Greenwick Cl. SN25: Swin 1B **20**
Gresham Cl. SN3: Swin 2G **29**
Greywethers Av. SN3: Swin 5F **29**
Griffiths Cl. SN3: Stra S 5A **22**
Grindal Dr. SN5: Swin 3C **26**
Grosmont Dr. SN5: Swin 3E **27**
Grosvenor Rd. SN1: Swin 4B **28** (6A **4**)
Groundwell Ind. Est.
SN25: Swin 6E **13**
Groundwell Rd. SN1: Swin 3D **28** (5F **5**)
Grove Hill SN6: High 3E **9**
Grovelands Av.
SN1: Swin 5D **28**
Grovely Cl. SN5: Swin 5D **18**
Grove Orchard
SN6: High 3E **9**
Groves, The SN2: Swin 3B **20**
Groves St. SN2: Swin 2A **28**
Grundys SN3: Swin 5C **30**
Guildford Av. SN3: Swin 5G **29**
Guild Ho. SN1: Swin 4C **4**
Guppy St. SN2: Swin 2A **28** (3A **4**)

H

Hackett Cl. SN2: Stra S 2F **21**
Hackleton Ri. SN3: Stra S 6A **22**
Hackpen Cl. SN4: Wro 3C **32**
Haddon Cl. SN5: Swin 3C **26**
Hadleigh Cl. SN5: Swin 2F **27**
Hadleigh Ri. SN3: Stra S 1H **21**
Hadrians Cl. SN3: Stra S 6B **22**
Haig Cl. SN2: Stra S 2F **21**
Hales Cl. SN15: Lyne 1C **36**
Halifax Cl. SN4: Wro 3B **32**
Hallam Moor SN3: Swin 6D **30**
Hall Cl. SN4: Wro 4B **32**
Hallsfield SN6: Crick 2D **6**
Hamble Rd. SN25: Swin 2A **20**
Hamilton Cl. SN3: Swin 1G **29**
Hammonds SN6: Crick 2F **7**
Hampshire Cl. SN5: Swin 1D **26**
HAMPTON 5C **8**
Hampton Dr. SN5: Swin 2C **26**
Ham Rd. SN4: Lidd, Wan 2G **35**
Hamstead Way SN25: Swin 5A **12**
Hamworthy Rd. SN3: Swin 2B **30**
Hanbury Rd. SN3: Swin 4G **29**
Handel St. SN2: Swin 6D **20**
HANNINGTON 3A **8**
Hannington Cl. SN2: Swin 6C **12**
Hanover Ct. *SN3: Swin* *1C 30*
(off Kingfisher Dr.)
Hanover Ho. SN6: High 5E **9**
Hanson Cl. SN5: Swin 6E **19**
Harber Ct. SN2: Swin 5D **20**
Harbour Cl. SN25: Swin 3A **20**
Harbour Mdw. SN25: Swin 2A **20**
Harcourt Rd. SN2: Swin 6B **20**
Hardie Cl. SN3: Stra S 5H **21**
Harding St. SN1: Swin 2C **28** (3C **4**)
Hardwick Cl. SN25: Swin 1B **20**
Harebell Cl. SN25: Swin 1G **19**
HARESFIELD 2F **9**
Hargreaves Rd. SN25: Swin 6E **13**
Harlech Cl. SN5: Swin 4F **27**
Harlestone Rd. SN3: Stra S 6A **22**
Harold Thorpe Gdns. *SN3: Swin* *2G 29*
(off Middleton Cl.)
Harptree Cl. SN5: Swin 6D **18**
Harriers, The SN3: Swin 1B **30**
Harrington Wlk. SN3: Swin 1G **29**
Harris Rd. SN2: Swin 4B **20**
Harrow Cl. SN3: Stra S 5G **21**
Harrow Gro. SN15: Lyne 3E **37**
Hartington Rd. SN25: Swin 5F **11**
Hartland Cl. SN3: Swin 3H **29**
HARTS CLOSE 6E **37**
Hartsthorn Cl. SN2: Swin 2G **19**
Harvester Cl. SN5: Swin 6C **18**
Harvey Gro. SN2: Swin 4A **20**
Hastings Ct. SN4: Wro 4B **32**
Hastings Dr. SN15: Lyne 3F **37**
Hatchers Cres. SN26: Blun 2C **12**
Hatch Rd. SN3: Stra S 2A **22**
Hatfield Cl. SN25: Swin 6H **11**
Hathaway Rd. SN2: Stra S 1F **21**
Hatherall Cl. SN3: Stra S 4B **22**
Hatherleigh Ct. SN3: Swin 2H **29**
Hatherley Rd. SN3: Swin 1A **30**
Hathersage Moor SN3: Swin 6D **30**
Hatton Gro. SN3: Swin 2G **29**
Havelock Sq. SN1: Swin 2C **28** (4D **4**)
Havelock St. SN1: Swin 2C **28** (4D **4**)
Haven Cl. SN3: Stra S 6A **22**
Hawker Rd. SN3: Swin 4B **30**
Hawkfinch Cl. SN3: Swin 3D **30**
Hawkins St. SN2: Swin 1A **28** (2A **4**)
Hawkswood SN3: Swin 6C **22**
Hawksworth Ind. Est.
SN2: Swin 1B **28** (1A **4**)
Hawksworth Way SN2: Swin 1B **28** (1B **4**)
Hawthorn Av. SN2: Swin 4D **20**
Hayburn Rd. SN25: Swin 5H **11**
HAYDON 6H **11**
Haydon Ct. SN25: Swin 1H **19**
Haydon Ct. Dr. SN25: Swin 1H **19**
Haydon End La. SN25: Swin 6F **11**
Haydonleigh Dr. SN25: Swin 1H **19**
Haydon St. SN1: Swin 1D **28** (2E **5**)
Haydon Vw. Rd. SN25: Swin 2D **20**
HAYDON WICK 1H **19**
Haydon Wick Community Leisure Cen.
1H **19**
Hayes Knoll SN5: Pur S 1B **10**
Hayes Knoll Station
Swindon and Cricklade Railway 2C **10**
Hay La. SN4: Woot B 6B **26**
SN5: Swin 1C **26**
(not continuous)
Hay La. Cvn. Pk. SN4: Wro 6D **26**
Hayle Rd. SN2: Swin 2A **28**
Haynes Cl. SN3: Swin 4B **30**
Haywain Cl. SN25: Swin 6D **12**
Hayward Cl. SN25: Swin 6B **12**
Hazelbury Cres. SN3: Swin 1B **30**
Hazel End SN4: Woot B 4D **24**
Hazel Gro. SN2: Swin 3D **20**
Hazell's La. SN6: Shriv 6F **17**
Hazelmere Cl. SN3: Swin 4A **30**
Headlands Gro. SN2: Swin 3E **21**
Headlands Trad. Est. SN2: Swin 3F **21**
Headley Cl. SN4: Wro 6F **33**
Health Hydro, The 2C **28** (4C **4**)
Heathcote Cl. SN5: Swin 6E **19**
Heath Way SN3: Stra S 6A **22**
Heaton Cl. SN25: Swin 6B **12**
Heberden Ho. SN6: Crick 2E **7**
Hector Rd. *SN25: Swin* *5F 11*
(off Hartington Rd.)
Heddington Cl. SN2: Swin 1D **20**
Hedgerow Cl. SN3: Swin 3B **30**
Hedges, The SN4: Wan 5G **31**
Hedges Cl. SN3: Stra S 3A **22**
Heights, The SN1: Swin 4B **28**
Helena Rd. SN25: Swin 4F **11**
Helmsdale SN25: Swin 2A **20**
Helmsdale Wlk. SN3: Swin 4H **29**
Helston Rd. SN3: Swin 3H **29**
Henley Dr. SN6: High 3F **9**
Henley Rd. SN3: Swin 4G **29**
Henman Cl. SN25: Swin 1B **20**
Henrietta Ct. *SN3: Swin* *4E 29*
(off Marlborough Rd.)
Henry St. *SN1: Swin* *3C 4*
(off East St.)
SN1: Swin 2C **28** (3D **4**)
(Bridge St.)
Hepworth Rd. SN25: Swin 6A **12**
Herbert Harvey Ct. SN3: Stra S 6B **22**
Herbert Ludlow Gdns. SN15: Brad 2A **36**
Hereford Lawns SN3: Swin 5G **29**
Hermitage, The SN3: Swin 4E **29**
Hermitage La. SN2: Stra S 3F **21**
Heronbridge Cl. SN5: Swin 3F **27**
Heronscroft SN3: Swin 1C **30**
Herschel Cl. SN25: Swin 5E **11**
Hertford Cl. SN3: Swin 2G **29**
Hesketh Cres. SN3: Swin 5E **29**
Hewitt Cl. SN3: Swin 4B **30**
Hexham Cl. SN5: Swin 3E **27**
Heytsbury Gdns. SN5: Swin 4C **26**
Heywood Cl. SN2: Swin 1C **20**
Hicks Cl. SN4: Wro 4B **32**
Hidcot Ct. SN25: Swin 5H **11**
Highclere Av. SN3: Swin 4G **29**
Highdown Way SN25: Swin 5B **12**
Highfold SN4: Woot B 4E **25**
Highland Cl. SN5: Swin 1D **26**
High Mead SN4: Woot B 3E **25**
Highmoor Copse SN5: Swin 5D **18**
Highnam Cl. SN3: Stra S 5A **22**
Highridge Cl. SN5: Pur 6A **10**
High St. SN1: Swin 4E **29**
SN4: Chi 6C **34**
SN4: Wan 4H **31**
SN4: Woot B 4C **24**
SN4: Wro 5B **32**
SN5: Pur 5B **10**
SN6: Crick 3E **7**
SN6: High 5F **9**
SN6: Shriv 6E **17**
SN6: Watch 2F **17**

44 A-Z Swindon

High St. SN25: Swin 2H **19**
SN26: Blun 3C **12**
Highwood Cl. SN2: Swin 2G **19**
HIGHWORTH 4F **9**
Highworth Recreation Cen. 5E **9**
Highworth Rd. SN3: S Mars 4C **14**
SN3: S Mars, Stan F 1A **22**
SN3: Stra S 3H **21**
SN6: High, Shriv 2B **16**
SN6: S Mars 4C **14**
SN6: Shriv 4D **16**
Hillary Cl. SN2: Swin 2D **20**
Hillcrest Cl. SN1: Swin 4B **28**
Hillingdon Rd. SN3: Swin 4A **30**
HILLMEAD 6E **19**
Hillmead Dr. SN5: Swin 5E **19**
Hillmead Ent. Pk. SN5: Swin 5E **19**
Hillmead Ind. Est. SN5: Swin 6E **19**
Hillocks, The SN4: Lyne 1F **37**
Hill Rd. SN6: Watch 3G **17**
Hillside SN5: Pur 5C **10**
Hillside Av. SN1: Swin 4B **28** (6B **4**)
Hillside Way SN26: Blun 2B **12**
Hill Vw. SN15: Brad 2B **36**
Hill Vw. Rd. SN3: Stra S 5B **22**
Hillyard Cl. SN5: Swin 4C **26**
Hilmarton Av. SN2: Swin 1D **20**
Hilton Cl. SN1: Swin 3E **29** (6G **5**)
Hindle Way SN3: Swin 3C **30**
Hinkson Cl. SN25: Swin 4A **12**
Hinton St. SN2: Swin 6E **21**
Hobley Dr. SN3: Stra S 3H **21**
Hocketts Cl. SN15: Lyne 2E **37**
Hodds Hill SN5: Swin 4E **19**
HODSON 5H **33**
Hodson Rd. SN4: Chi, Hod 6H **33**
Hoggs La. SN5: Pur 5A **10**
Holbein Cl. SN5: Swin 3D **26**
Holbein Ct. SN5: Swin 3D **26**
Holbein Fld. SN5: Swin 4D **26**
Holbein M. SN5: Swin 3D **26**
Holbein Pl. SN5: Swin 3D **26**
Holbein Sq. SN5: Swin 3D **26**
(off Holbein Wlk.)
Holbein Wlk. SN5: Swin 4D **26**
Holbrook Way SN1: Swin 2C **28** (3D **4**)
Holburn SN5: Lyd M 1B **26**
Holdcroft Cl. SN26: Blun 2D **12**
Holden Cl. SN25: Swin 6C **12**
(off Garson Rd.)
Holinshead Pl. SN5: Swin 3D **26**
Holliday Cl. SN25: Swin 6B **12**
Hollins Moor SN3: Swin 6C **30**
Hollow Way SN15: Brad, Lyne 2A **36**
Holly Cl. SN2: Swin 4B **20**
Holmleigh SN25: Swin 2H **19**
Home Cl. SN4: Chi 6B **34**
Home Farm SN6: High 4E **9**
(not continuous)
Homefield SN4: Woot B 3D **24**
Home Ground SN4: Woot B 3F **25**
SN6: Crick 2D **6**
Homeleaze Rd. SN6: Shriv 3H **17**
Honda Nth. Rdbt. SN3: Stra S 1A **22**
Honda Sth. Rdbt. SN3: Stra S 2A **22**
Honey Bone Wlk. SN3: Swin 1D **30**
Honeyhill SN4: Woot B 4C **24**
Honeylight Vw. SN25: Swin 6B **12**
Honeysuckle Cl. SN25: Swin 1G **19**
Honiton Rd. SN3: Swin 3A **30**
Hook Cl. SN5: Swin 4D **18**
Hooks Hill SN5: Pur 5A **10**
Hook St. SN4: Hook, Woot B 2A **26**
SN5: Lyd T 2A **26**
Hooper Pl. SN1: Swin 4E **29**
Hopkins Orchard SN6: Crick 3E **7**
Hopton Cl. SN5: Swin 5E **27**
Horace St. SN2: Swin 2A **28**
Horcott Rd. SN5: Swin 4E **19**
Horder M. SN1: Swin 4E **29**
Hornbeam Ct. SN2: Swin 4C **20**
Hornsey Gdns. SN3: Stra S 1H **21**
HORPIT 3H **31**
Horse Fair La. SN6: Crick 2F **7**
Horsefair La. SN15: Brad 2A **36**
Horsell Cl. SN4: Woot B 3D **24**
Horseshoe Cres. SN5: Swin 5D **18**

HORSEY DOWN 2D **6**
Horsham Cres. SN3: Swin 4H **29**
Horton Rd. SN2: Stra S 1G **21**
Hossil La. SN6: Stan F 3A **14**
Howard Cl. SN3: Swin 2G **29**
Hubble Vw. SN25: Swin 5E **11**
Huddleston Cl. SN2: Swin 6E **21**
Hudson Way SN25: Swin 1B **20**
Hughes St. SN2: Swin 1H **27**
Hugo Dr. SN25: Swin 6B **12**
Hunsdon Cl. SN3: Swin 2H **29**
Hunter's Gro. SN2: Swin 5C **20**
Huntley Cl. SN3: Swin 1G **29**
Hunts Hill SN26: Blun 2C **12**
Huntsland SN4: Woot B 3E **25**
Hunts Mill Rd. SN4: Woot B 5A **24**
Hunts Ri. SN3: S Mars 6B **14**
Hunt St. SN1: Swin 3D **28** (6F **5**)
Hurst Cres. SN2: Swin 3D **20**
Hyde, The SN5: Pur 2A **18**
Hyde La. SN5: Pur 5C **10**
Hyde Rd. SN2: Stra S, Swin 6E **13**
Hylder Cl. SN2: Swin 2G **19**
Hysopp Cl. SN2: Swin 2F **19**
Hythe M. SN1: Swin 4C **28**
Hythe Rd. SN1: Swin 3D **28** (6D **4**)

I

Icomb Cl. SN5: Swin 4F **27**
Idovers Dr. SN5: Swin 4F **27**
Iffley Rd. SN2: Swin 6A **20**
Iles Ct. SN11: Goat 6D **36**
Imber Wlk. SN2: Swin 6C **12**
Inglesham Rd. SN2: Swin 1D **20**
Interface Bus. Pk. SN4: Woot B 4F **25**
Inverary Rd. SN4: Wro 2B **32**
I O Centre SN3: Stra S 3H **21**
Ipswich St. SN2: Swin 6D **20**
Ironside Dr. SN6: Watch 3G **17**
Irston Way SN5: Swin 4E **27**
Isambard Pl. SN1: Swin 2E **5**
(off Wellington St.)
Isis Cl. SN25: Swin 3B **20**
Isis Trad. Est. SN1: Swin 6G **21**
Islandsmead SN3: Swin 3B **30**
Islay Cres. SN6: High 3E **9**
Islington St. SN1: Swin 2D **28** (3E **5**)
Ivy La. SN26: Blun 2C **12**
Ixworth Cl. SN5: Swin 1D **26**

J

Jackthorne Cl. SN5: Swin 4D **18**
Jacobs Wlk. SN3: Swin 4C **30**
James Watt Cl. SN2: Swin 1B **28** (2B **4**)
James Wilkes Ho. SN25: Swin 1H **19**
Jasmine Cl. SN25: Swin 2G **19**
Jefferies Av. SN2: Swin 4E **21**
Jenner Cl. SN4: Wan 5G **31**
Jennings St. SN2: Swin 2A **28** (2A **4**)
Jersey Pk. SN5: Swin 6E **19**
Jewel Cl. SN5: Swin 3C **26**
Jewels Ash SN5: Pur 4C **10**
Jim Masters Cl. SN2: Swin 5D **20**
John Alder Cl. SN4: Chi 6B **34**
John Herring Cres. SN3: Stra S 5H **21**
John St. SN1: Swin 2C **28** (3D **4**)
Joiner La. SN1: Swin 4E **29**
Jole Cl. SN2: Stra S 1F **21**
Jolliffe St. SN1: Swin 3B **28** (5A **4**)
Joseph St. SN1: Swin 3B **28** (5B **4**)
Joyce Cl. SN25: Swin 5B **12**
Jubilee Est. SN5: Pur 4C **10**
Jubilee Rd. SN2: Swin 3H **19**
Juliana Cl. SN5: Swin 1D **26**
Juniper Cl. SN3: Stra S 6A **22**
Juno Way SN1: Swin 4A **28**

K

Karslake Cl. SN3: Swin 4B **30**
Keats Cl. SN4: Woot B 2E **25**
Keats Cres. SN2: Stra S 2G **21**

Keble Cl. SN3: Swin 1B **30**
Keels SN6: Crick 1D **6**
Kelham Cl. SN3: Swin 4G **29**
Kellsboro Av. SN4: Wro 3A **32**
Kelly Gdns. SN25: Swin 6A **12**
Kelmscot Rd. SN2: Swin 3D **20**
Kelvin Rd. SN3: Swin 1H **29**
Kemble Dr. SN2: Swin 1A **28** (1A **4**)
Kembrey Pk. SN2: Swin 4F **21**
Kembrey St. SN2: Swin 4E **21**
(not continuous)
Kemerton Wlk. SN3: Swin 5H **29**
Kendal SN5: Swin 4E **27**
Kendrick Ind. Est. SN2: Swin 6H **19**
Kenilworth Lawns
SN3: Swin 5G **29**
Kennedy Dr. SN3: Swin 4C **30**
Kennet Av. SN25: Swin 2C **20**
Kennet Rd. SN4: Wro 3B **32**
Kenton Cl. SN3: Swin 2A **30**
Kent Rd. SN1: Swin 3C **28** (6D **4**)
Kenwin Cl. SN3: Stra S 3A **22**
Kerrs Way SN4: Wro 4B **32**
Kerry Cl. SN5: Swin 1D **26**
Kershaw Rd. SN3: Swin 4B **30**
Kestrel Dr. SN3: Swin 2D **30**
Keswick Rd. SN3: Swin 5A **30**
Keycroft Copse SN5: Swin 5C **18**
Keyneston Rd. SN3: Swin 2B **30**
Keynsham Wlk. SN3: Swin 4A **30**
Keypoint Rdbt. SN3: S Mars 4C **22**
Kibblewhite Cl. SN5: Pur 6B **10**
Kilben Cl. SN5: Swin 1C **26**
Kilda Rd. SN6: High 3D **9**
Kiln La. SN2: Swin 5A **20**
Kilsby Dr. SN3: Stra S 6A **22**
Kilsyth Cl. SN5: Swin 4D **26**
Kimberley Rd. SN3: Swin 4H **29**
Kimbers Fld. SN4: Wan 5G **31**
Kimbolton Cl. SN5: Swin 4D **26**
Kimmeridge Cl. SN3: Swin 2A **30**
King Charles Rd. SN5: Swin 4E **27**
Kingfisher Dr. SN3: Swin 1C **30**
Kingfisher Rdbt. SN3: Swin 1C **30**
King Henry Dr. SN5: Swin 4C **26**
King John St. SN1: Swin 4D **28** (6F **5**)
Kings Av. SN6: High 5F **9**
Kingscote Cl. SN5: Swin 6C **18**
KINGSDOWN 1F **21**
Kingsdown Cvn. Pk. SN2: Stra S 6G **13**
Kingsdown Crematorium
SN2: Stra S 5H **13**
Kingsdown Ind. Est. SN2: Stra S 6H **13**
Kingsdown La. SN2: Stra S 5F **13**
SN3: Stan F 5A **14**
(off Highworth Rd.)
SN26: Blun, Stra S 4D **12**
Kingsdown Orchard
SN2: Stra S 1F **21**
Kingsdown Rd. SN2: Stra S 1G **21**
SN3: S Mars, Stra S 1G **21**
KINGSHILL 3C **28** (6C **4**)
Kingshill Ct. SN1: Swin 4B **28** (6B **4**)
Kingshill Rd. SN1: Swin 4B **28** (6A **4**)
Kingsley Av. SN4: Woot B 2D **24**
Kingsley Way SN2: Stra S 1E **21**
Kingsthorpe Gro.
SN3: Stra S 6B **22**
Kingston Rd. SN3: Swin 4H **29**
King St. SN1: Swin 2C **28** (3D **4**)
Kingsway Cl. SN3: Swin 4G **29**
Kingswood SN4: Wro 5B **32**
Kingswood Av. SN3: Swin 3H **29**
King William St. SN1: Swin 4D **28**
Kipling Gdns. SN2: Stra S 2F **21**
Kirby Cl. SN3: Swin 4G **29**
Kirkstall Cl. SN5: Swin 4F **27**
Kirktonhill Rd. SN5: Swin 2G **27**
Kishorn Cl. SN5: Swin 4E **19**
Kitchener St. SN2: Swin 5D **20**
Kitefield SN6: Crick 2E **7**
Kite Hill SN4: Wan 5G **31**
Knapp Cl. SN2: Swin 4A **20**
Knole Cl. SN25: Swin 5A **12**
Knoll, The SN1: Swin 5D **28**
Knolton Wlk. SN3: Swin 4H **29**
Knowlands SN6: High 3F **9**

Knowsley Rd.—May's La.

Knowsley Rd. SN3: Swin 4H 29
Kopernik Rd. SN25: Swin 6G 11

L

Laburnum Dr. SN4: Woot B 2D 24
Laburnum Rd. SN2: Swin 3D 20
Lacock Rd. SN2: Swin 2D 20
Lady La. SN25: Blun, Swin 5A 12
SN25: Swin 6A 12
Lady Mead SN6: Crick 2E 7
Lagos St. SN1: Swin 1D 28 (2F 5)
Lake Rd. SN6: Shriv 5F 17
Lakeside SN3: Swin 5F 29
Lambert Cl. SN5: Swin 5E 27
Lambourn Av. SN3: Swin 5F 29
Lamora Cl. SN5: Swin 6C 18
Lampeter Rd. SN25: Swin 6F 11
Lanac Rd. SN3: Stra S 5H 21
Lancaster M. SN3: S Mars 6B 14
Lancaster Pl. SN3: S Mars 6B 14
Lancaster Rd. SN4: Wro 4B 32
Lancaster Sq. SN15: Lyne 3E 37
Landor Rd. SN25: Swin 4A 12
Langdale Dr. SN5: Swin 5E 27
Langford Gro. SN3: Swin 2F 29 (4H 5)
Langley Rd. SN5: Swin 5E 19
Langport Cl. SN5: Swin 4E 27
Langstone Way SN5: Swin 2F 27
LANGTON PARK 6D 32
Lanhydrock Cl. SN5: Swin 4D 26
Lansbury Dr. SN2: Stra S 2G 21
Lansdown Rd. SN1: Swin 4C 28
Lapwing Cl. SN3: Swin 2D 30
Larchmore Cl. SN25: Swin 3B 20
Larksfield SN3: Swin 1B 30
Latton Cl. SN2: Swin 6C 12
Laughton Way SN25: Swin 6B 12
Laurel Ct. SN2: Stra S 3F 21
LAWN 5G 29
Lawns, The SN4: Woot B 3C 24
Lawrence Cl. SN3: Swin 4B 30
Lawton Cl. SN3: Swin 5H 29
Lea Cl. SN25: Swin 5B 12
Leamington Gro. SN3: Swin 6F 29
Lechlade Rd. SN6: High 4F 9
Leicester St. SN1: Swin 2E 29 (4G 5)
Leigh Rd. SN2: Swin 2C 20
Leighton Av. SN3: Swin 4G 29
Lennox Dr. SN3: Swin 2F 29
Lesley Ann Skeete Ct. SN3: Swin 4A 30
Lesley Ct. SN1: Swin 3C 28 (6D 4)
Leslie Cl. SN5: Swin 4D 26
Lethbridge Rd. SN1: Swin 5D 28
Letterage Rd. SN5: Swin 4D 18
Leven SN5: Swin 5D 26
Leverton Ga. SN3: Swin 1G 33
Lewis Cl. SN25: Swin 6A 12
Lewisham Cl. SN25: Swin 3A 20
Lichen Cl. SN2: Swin 2G 19
LIDDINGTON 3G 35
Liddington St. SN2: Swin 3D 20
LIDEN 5C 30
Lidenbrook SN4: Lidd 3G 35
Liden Dr. SN3: Swin 5B 30
Lilac Ct. SN2: Swin 4C 20
Lilian Lock Gdns. SN2: Swin 1D 20
Lillybrook SN15: Lyne 1B 36
Lime Cl. SN15: Lyne 3G 37
Lime Kiln SN4: Woot B 2C 24
Lime Kiln Sports Cen. 2C 24
Limes Av. SN2: Swin 3C 20
Lincoln St. SN1: Swin 2D 28 (4F 5)
Linden Av. SN2: Swin 3D 20
Linden Cl. SN4: Woot B 2D 24
Linden Way SN5: Swin 4D 18
Lindisfarne SN4: Woot B 2F 25
Lineacre Cl. SN5: Swin 4C 26
Link Av. SN5: Swin 3E 27
Link Cen., The 3E 27
Linley Cl. SN1: Swin 6D 28
Linley Rd. SN26: Blun 3D 12
Linnetsdene SN3: Swin 6B 22
(not continuous)
Linslade Rdbt. SN2: Swin 2B 28 (2A 4)
Linslade St. SN2: Swin 2A 28 (3A 4)
Liskeard Way SN5: Swin 4E 27
Lisle Cl. SN5: Swin 3D 26
Lismore Rd. SN6: High 4D 8
Lister Rd. SN4: Wro 3C 32
Little Av. SN2: Swin 5B 20
Littlecote Cl. SN5: Swin 3G 27
LITTLECOTT 6G 37
Little London SN1: Swin 4E 29 (6G 5)
Lit. London Ct. *SN1: Swin 4E 29*
(off Lit. London)
Lit. Park Cl. SN15: Lyne 4D 36
Locksgreen Cres. SN25: Swin 2H 19
Locks La. SN5: Pur 4B 10
Logan Cl. SN3: Swin 2F 29
Lombard Ct. *SN5: Swin 4E 27*
(off Westminster Rd.)
Lomond Cl. SN5: Swin 4E 19
London St. SN1: Swin 2C 28 (3C 4)
Long Acre SN5: Pur 5B 10
Longcot Rd. SN6: Shriv 6F 17
Longfellow Cl. SN25: Swin 4B 12
Longfellow Cres. SN4: Woot B 2E 25
Longleat Gdns. SN2: Swin 2D 20
Longleaze SN4: Woot B 2D 24
Longstock Ct. SN5: Swin 2E 27
Longthorpe Cl. SN5: Swin 4G 27
Longworth Dr. SN25: Swin 5F 11
Lonsdale Cl. SN26: Blun 3D 12
Lorne St. SN1: Swin 3B 28 (5B 4)
Lotmead Bus. Village
SN4: Wan 6E 23
Loughborough Cl. SN5: Swin 4C 26
Louviers Way SN1: Swin 6D 28
Loveage Cl. SN2: Swin 2G 19
Lovell Cl. SN3: Swin 1C 30
Loveridge Cl. SN2: Swin 6F 13
LOWER STRATTON 2H 21
LOWER VILLAGE 1C 12
LOWER WANBOROUGH 4G 31
Lowes Cl. SN5: Swin 4E 19
Loxley Wlk. SN3: Swin 5A 30
Lucas Cl. SN25: Swin 5A 12
Lucerne Cl. SN4: Woot B 1C 24
SN5: Swin 6C 18
Luddesdown Rd. SN5: Swin 4F 27
Ludgershall Rd. SN1: Swin 4A 28
Ludlow Cl. SN3: Swin 4F 29
Lulworth Rd. SN25: Swin 3H 19
Lumley Cl. SN5: Swin 4D 26
Lupin Ct. SN2: Stra S 3F 21
Lutyens Ga. SN3: Swin 1G 33
Lyall Cl. SN25: Blun 4A 12
Lychett Way SN3: Swin 2B 30
Lyddon Way SN25: Swin 2A 20
Lydford Cl. SN5: Swin 6D 18
Lydiard Country Pk. 2B 26
Lydiard Country Pk. Vis. Cen. 2B 26
Lydiard Flds. SN5: Swin 5B 26
Lydiard House 2B 26
LYDIARD MILLICENT 6A 18
LYDIARD TREGOZE 2C 26
Lyme Way SN25: Swin 1B 20
Lynchfield, The SN4: Wan 6G 31
Lyndhurst Cres. SN3: Swin 3H 29
LYNEHAM 3F 37
Lyneham Cl. SN2: Swin 6C 12
Lynmouth Rd. SN2: Swin 2A 28 (4A 4)
Lynton Rd. SN2: Swin 5H 19
Lynwood Gro. SN2: Swin 3G 19

M

Mackenzie Cl. SN3: Swin 4C 30
Magdalen Rd. SN4: Wan 5G 31
Magic Rdbt., The SN1: Swin 2E 29 (3H 5)
Magnolia Ct. SN2: Swin 4C 20
Magpie La. SN3: Swin 2D 30
Maiden's Cl. SN6: Watch 3G 17
Maidstone Rd. SN1: Swin 4C 28 (6D 4)
Main Dr. SN25: Blun 4A 12
Main Rd. SN15: D Lock, Lyne 1A 36
Maitland Rd. SN3: Swin 1H 29
Majestic Cl. SN5: Swin 1D 26
Majors Rd. SN6: Watch 2G 17
(not continuous)
Maldwyn Cl. SN5: Swin 1C 26
Mall, The SN1: Swin 4C 28
SN6: Shriv 5G 17
Mallard Av. SN15: Lyne 4F 37
Mallard Cl. SN3: Swin 2D 30
Mallow Cl. SN2: Swin 2G 19
Malmesbury Rd. SN4: Woot B 1D 24
SN6: Crick, Leigh 5A 6
Malthouse Cl. SN26: Blun 2D 12
Maltings, The SN4: Wan 5H 31
SN4: Woot B 4C 24
Malvern Rd. SN2: Swin 5D 20
Manchester Rd. SN1: Swin 1D 28 (2E 5)
MANNINGTON 4G 27
Mannington La. SN5: Swin 3G 27
Mannington Pk. SN2: Swin 1A 28
Mannington Retail Pk. SN5: Swin 4H 27
Mannington Rdbt. SN5: Swin 3G 27
Manor Cl. SN4: Wro 5C 32
SN6: Shriv 5E 17
SN26: Blun 2D 12
Manor Cres. SN2: Swin 4A 20
Manor Gdns. SN2: Swin 5A 20
Manor La. SN6: Shriv 6E 17
Manor Mdws. SN3: S Mars 2D 22
Manor Orchard SN4: Wan 5H 31
SN6: Crick 2F 7
Manor Pk. SN3: S Mars 2D 22
Manor Rd. SN1: Swin 3A 28 (6A 4)
Manor Vw. SN4: Chi 6B 34
SN4: Lidd 3G 35
Manton St. SN2: Swin 1A 28 (1A 4)
Maple SN2: Swin 4E 21
Maple Dr. SN4: Woot B 2C 24
Maple Gro. SN2: Swin 4D 20
March Cl. SN25: Swin 6B 12
Mardale Cl. SN5: Swin 5C 18
Margaret Leckie Ct. SN3: Swin 2F 29
Margaret Matthews Ct. SN2: Swin 1H 27
Marigold Cl. SN2: Swin 2G 19
Marine Cl. SN4: Wro 3C 32
Mariner Rd. SN25: Swin 5E 11
Marjoram Cl. SN2: Swin 1G 19
Markenfield SN5: Swin 4G 27
(not continuous)
Market St. SN1: Swin 2C 28 (4D 4)
Markham Cl. SN3: Swin 1G 29
Markham Pl. SN4: Wro 4A 32
Markham Rd. SN4: Wro 5B 32
Marlborough Ct. SN4: Woot B 2E 25
Marlborough La. SN3: Swin 5E 29
Marlborough Rd. SN3: Swin 5E 29
(not continuous)
SN4: Bad, Chi 4D 34
SN4: Woot B 5C 24
SN4: Wro 4C 32
Marlborough St. SN1: Swin 3B 28 (5B 4)
Marlowe Av. SN3: Swin 1G 29
Marlowe Way SN4: Woot B 2D 24
Marney Rd. SN5: Swin 3D 26
Marsh, The SN4: Wan 6E 31
Marshall Rd. SN5: Swin 6E 19
Marsh Farm La. SN1: Swin 1F 29
Marshfield Way SN3: Stra S 4H 21
Marshgate SN1: Swin 6G 21
Marsland Rd. SN2: Swin 3E 21
Marston Av. SN2: Swin 2E 21
Martens Cl. SN6: Shriv 6D 16
Martens Rd. SN6: Shriv 6E 17
Martinfield SN3: Swin 1C 30
Maryfield SN1: Swin 5G 5
Masefield SN4: Woot B 2E 25
Masefield Av. SN2: Swin 3F 21
Maskeleyne Way SN4: Wro 3A 32
Maslin Row *SN3: Stra S 2H 21*
(off Highworth Rd.)
Mason Rd. SN25: Swin 6C 12
Masons, The SN5: Pur 6A 10
Massinger Wlk. *SN3: Swin 2G 29*
(off Lennox Dr.)
Matley Moor SN3: Swin 6D 30
Maunsell Way SN4: Wro 3A 32
Maxey Cl. SN5: Swin 6E 19
Maxwell St. SN1: Swin 2B 28 (4B 4)
May Cl. SN2: Swin 4D 20
Mayfield SN4: Wan 6G 31
Mayfield Cl. SN3: Swin 1A 30
May's La. SN4: Chi 6C 34

Meadow Cl. SN4: Woot B 2D 24
Meadowcroft SN2: Stra S 2F 21
Meadow Rd. SN2: Swin 1H 27
  SN6: Watch 2H 17
Meadow Springs SN5: Lyd M 6A 18
Meadowsweet Cl. SN25: Swin 1H 19
Meadow Way SN4: Bad, Lidd 3D 34
Meads Bus. Cen., The
  SN5: Swin 2G 27
Meads Rdbt., The SN5: Swin 2G 27
Mead Way SN5: Swin 4E 19
Meares Dr. SN5: Swin 6E 19
MEDBOURNE .4F 35
Medbourne La. SN4: Bad, Lidd 4E 35
Medbury Pl. SN1: Swin 2E 29 (3G 5)
Medgbury Rd. SN1: Swin 2D 28 (3F 5)
Medina Way SN2: Stra S 2G 21
Medlar Ct. SN2: Swin 4C 20
Medlar Rd. SN6: Shriv 5F 17
Medway Rd. SN25: Swin 2A 20
Melbourne Cl. SN3: Swin 5G 29
Melford Wlk. SN3: Swin 1B 30
Melfort Cl. SN5: Swin 4E 19
Melksham Cl. SN1: Swin 6C 12
Mellow Ground SN25: Swin 1H 19
Melrose Cl. SN5: Swin 2F 27
Melsome Rd. SN15: Lyne 5D 36
Melville Cl. SN3: Swin 2G 29
Menham Cl. SN2: Swin 4E 21
Meriden Wlk. SN3: Swin 4A 30
Merlin Rdbt. SN3: Stra S 5C 22
Merlin Way SN3: Stra S, Swin 6C 22
  (not continuous)
Merrivale Gro. SN3: Swin 4F 29
Merton Av. SN2: Stra S 2E 21
Merton St. SN1: Swin 2D 28 (3E 5)
Mervyn Webb Pl. SN2: Swin 6E 21
Mews, The SN5: Lyd M 6A 18
  SN6: High 4F 9
  SN6: Watch .3G 17
Meynell Cl. SN25: Swin 4A 12
Middle Ground SN4: Woot B 3F 25
  SN6: Crick 2D 6
MIDDLELEAZE 1C 26
Middleleaze Dr. SN5: Swin 1C 26
Middlemead La. SN6: Hann 1A 8
Middleton Cl. SN3: Swin 2G 29
Midhurst Av. SN3: Swin 3A 30
Midwinter Cl. SN5: Swin 5E 19
Midwinter Gdns. SN3: Stra S 4H 21
Mildenhall Way SN2: Swin 6C 12
Mildmay Cl. SN5: Swin 3C 26
Milford St. SN1: Swin 2D 28 (2E 5)
Milland Cl. SN25: Swin 6D 12
  (off Garson Rd.)
Millbuck Cl. SN2: Swin 5F 21
Mill Cl. SN4: Chi 6C 34
  SN4: Wro 4C 32
Mill Ct. SN3: Swin 4E 29
  (off Marlborough Rd.)
Miller Cl. SN5: Swin 6C 18
Mill La. SN1: Swin 5A 28
  SN4: Wro 6H 27
  SN6: Stan F .2H 13
Milston Av. SN2: Swin 1D 20
Milton Rd. SN1: Swin 2C 28 (4C 4)
Milton's Way SN4: Woot B 4B 24
Milverton Ct. SN3: Swin 3H 29
  (off Banwell Av.)
Minety Rd. SN2: Swin 1C 20
Minster Cl. SN2: Swin 5A 12
Mint Cl. SN2: Swin 2G 19
Mir Cres. SN25: Swin 5E 11
Mitchell Cl. SN4: Woot B 3C 24
Moat Wlk. SN4: Wro 5B 32
Monet Cl. SN25: Swin 6A 12
Monkton Cl. SN3: Swin 4A 30
Monmouth Cl. SN3: Swin 4G 29
Montagu St. SN2: Swin 1A 28
Montgomery Av. SN2: Swin 4C 20
Montrose Cl. SN2: Swin 4H 19
Moonrakers Rdbt. SN2: Stra S 3E 21
Moore Cl. SN4: Wro 2D 32
Moorings, The SN1: Swin 3B 28 (6A 4)
Moormead Rd. SN4: Wro 4C 32

Moors, The SN5: Lyd M 5A 18
Moray Rd. SN2: Swin 5F 21
MOREDON 3H 19
Moredon Pk. SN2: Swin 3G 19
Moredon Rd. SN2: Swin 3H 19
Morehen Cl. SN3: Swin 3D 30
Moresby Cl. SN5: Swin 2F 27
Morie Cl. SN3: Swin 5E 19
Morley St. SN1: Swin 3D 28 (5E 5)
Morrison St. SN2: Swin 1A 28
Morris St. SN2: Swin 2H 27 (2A 4)
  (not continuous)
Morse St. SN1: Swin 3C 28 (5D 4)
Morstone Rd. SN4: Woot B 4C 24
Mortimer Cl. SN5: Swin 1E 27
Mountings, The SN4: Wro 2C 32
Muirfield SN25: Swin 5G 11
Mulberry SN2: Swin 4F 21
Mulberry Gro. SN2: Swin 4B 20
Mulberrys, The SN4: Woot B 3C 24
Mulcaster Av. SN5: Swin 3C 26
Mundy Av. SN3: Swin 4B 30
Munro Cl. SN3: Swin 2F 29
Murdock Rd. SN3: Swin 2D 30
Muscovey Cl. SN15: Lyne 3E 37
Mus. of the Great Western Railway 3C 4
  (off Faringdon Rd.)
Myrtle Gdns. SN2: Swin 4D 20

N

Nantwich SN5: Swin 5D 26
Napier Cl. SN2: Swin 1B 28 (1A 4)
Nash Cl. SN25: Swin 4B 12
National Monuments Record Cen.
  . . . . .1C 28 (2B 4)
Naunton Rd. SN3: Swin 2H 29
Neighbourhood Cen., The SN25: Swin . .4B 12
  (off Highdown Way)
Nell Hill SN6: Hann 3A 8
Nelson St. SN1: Swin 3A 28 (5A 4)
Ness Cl. SN5: Swin 4E 19
Netherton Cl. SN3: Swin 4A 30
Nevis Cl. SN5: Swin 4E 19
Newark Cl. SN5: Swin 5E 27
Newbridge Cl. SN1: Swin 2E 5
New Bri. Sq. SN1: Swin 2D 28 (2E 5)
Newburgh Cl. SN6: High 4E 9
Newburgh Pl. SN6: High 4E 9
Newburn Cres. SN1: Swin 3A 28 (5A 4)
Newbury Dr. SN6: Swin 5E 27
Newcastle St. SN1: Swin 2E 29 (4G 5)
New College Wlk. SN3: Swin 3G 29
  (off Bilborough Dr.)
Newcombe Dr. SN2: Swin 6B 20 (1A 4)
Newhall St. SN1: Swin 3C 28 (5D 4)
Newland Rd. SN25: Swin 3B 20
Newmeadow Copse SN5: Swin 5D 18
Newport St. SN1: Swin 5E 29
New Rd. SN4: Chi 6C 34
  SN4: Woot B 4C 24
Newstead Cl. SN25: Swin 6A 12
Newth's La. SN5: Pur S 2A 10
Newton Way SN2: Swin 2D 20
NEW ZEALAND 5C 36
NHS Walk-in Cen. SN1: Swin 3E 5
Nightingale La. SN3: S Mars 2E 23
Nightwood Copse SN5: Swin 5D 18
Nindum Rd. SN3: Stra S 5A 22
NINE ELMS 6C 18
Nocton Rd. SN4: Wro 6F 33
Nolan Cl. SN4: Woot B 4A 12
Norbury Ct. SN5: Pur 5C 10
Norcliffe Rd. SN3: Swin 4A 30
Noredown Way SN4: Woot B 4D 24
Nore Marsh Rd. SN4: Woot B 4D 24
Norfolk Cl. SN3: Swin 2G 29
Norman Rd. SN2: Swin 6D 20
Norris Cl. SN4: Chi 6B 34
Northampton St. SN1: Swin 2E 29 (4G 5)
Northbourne Rd. SN25: Swin 5B 12
Northbrook Rd. SN25: Swin 5B 20
North Dr. SN25: Blun 4A 12
Northern Rd. SN2: Swin 4B 20
Northfield Way SN3: Swin 1A 30

NORTHFORD 4F 17
Northford Cl. SN6: Shriv 4F 17
Northford Hill SN6: Watch 4G 17
Northford Ind. Est. SN6: Shriv 4F 17
Northleaze Cl. SN2: Swin 3A 20
Nth. Star Av. SN2: Swin 6C 20 (1C 4)
Nth. Star Rd. SN2: Swin 1C 28 (2C 4)
Nth. Star Rdbt. SN2: Swin 6C 20
North St. SN1: Swin 3D 28 (6E 5)
  SN6: Watch .3G 17
North Vw. SN6: High 4E 9
North Vw. Ho. SN5: Pur 6B 10
North Wall SN6: Crick 2E 7
NORTH WROUGHTON 3C 32
Norton Gro. SN3: Swin 3E 29 (5H 5)
Nortth Mdw. Rd. SN6: Crick 2D 6
Norwood Cl. SN3: Swin 4C 30
Noyes Cl. SN25: Swin 1F 19
Nuffield Cl. SN5: Swin 6E 19
Nurseries, The SN1: Swin 4C 28 (6C 4)
Nursery Cl. SN4: Wro 5B 32
Nuthatch Cl. SN3: Swin 2D 30
Nutmeg Cl. SN25: Swin 2G 19
Nyland Rd. SN3: Swin 1B 30
NYTHE 1B 30
Nythe Rd. SN3: Stra S 5A 22

O

Oakapple Cl. SN4: Wan 5H 31
Oak Dr. SN6: High 5E 9
Oakford Wlk. SN3: Swin 2H 29
Oak Gdn. SN3: Stra S 2H 21
Oakham Cl. SN5: Swin 4F 27
Oakhurst Way SN25: Swin 5E 11
Oakie Cl. SN25: Swin 1B 20
Oak Rd. SN6: Watch 3F 17
Oaksey Rd. SN2: Swin 2D 20
Oak Tree Av. SN2: Swin 3E 21
Oakwood Rd. SN5: Swin 1F 27
Oasis Leisure Cen., The 1C 28 (1C 4)
Oasis Roundabout SN2: Swin 6C 20 (1C 4)
Oasthouse Cl. SN5: Swin 6D 18
Oberon Way SN25: Swin 1B 20
Ockwells SN6: Crick 3E 7
  (off Forty, The)
Ocotal Rdbt. SN1: Swin 1E 29 (1H 5)
Ocotal Way SN1: Swin 6E 21 (1H 5)
Odstock Rd. SN2: Swin 6D 12
Okebourne Pk. SN3: Swin 5B 30
Okeford Cl. SN3: Swin 1B 30
OKUS 5C 28
Okus Gro. SN2: Stra S 2E 21
Okus Rd. SN1: Swin 4A 28
Okus Trad. Est. SN1: Swin 4B 28
Old Bakery, The SN5: Lyd M 6A 18
  (off Street, The)
Old Ct. SN4: Woot B 4C 24
Oldlands Wlk. SN3: Swin 5A 30
Old Malmesbury Rd. SN4: Woot B 1D 24
Old Mill La. SN3: Swin 5E 29
Old School Ct. SN3: Swin 2A 30
Old School, The SN1: Swin 4F 5
OLD SHAW 1E 27
Old Shaw La. SN5: Swin 6D 18
  (not continuous)
OLD TOWN 4E 29 (6G 5)
Old Vicarage La. SN3: S Mars 2D 22
OLIVE Gro. SN2: Swin 3C 20
Oliver Cl. SN5: Swin 2C 26
Olivier Rd. SN3: Swin 6C 12
Omdurman St. SN2: Swin 5C 20
Orange Cl. SN6: High 4F 9
Orbital Shop. Pk. SN25: Swin 6H 11
Orbit Cen., The SN5: Swin 2H 27
Orchard, The SN3: Swin 1G 33
  SN4: Chi 6D 34
Orchard Cl. SN4: Wan 5G 31
Orchard Gdns. SN5: Pur 6A 10
Orchard Gro. SN2: Stra S 3E 21
Orchard La. SN4: Tock 2H 37
Orchard Mead SN4: Woot B 3F 25
Orchard Pk. SN4: Woot B 4B 24
Orchid Cl. SN3: Swin 3D 20
Orkney Cl. SN5: Swin 1E 27
Orlando Cl. SN5: Swin 1B 20

Orrin Cl. SN5: Swin 4E **19**
Orwell Cl. SN25: Swin 1B **20**
Osborne St. SN2: Swin 6C **20**
Osprey Cl. SN3: Swin 2D **30**
Osterley Rd. SN25: Swin 6H **11**
Otter Way SN4: Woot B 3E **25**
Overbrook SN3: Swin 4A **30**
Overton Gdns. SN3: Stra S 4A **22**
OVERTOWN 6D **32**
Overtown Hill SN4: Wro 5D **32**
Owl Cl. SN3: Swin 2D **30**
Owlets, The SN3: Swin 2D **30**
Oxford Rd. SN3: S Mars, Stra S 5H **21**
  SN6: S Mars 4C **22**
Oxford Sq. SN6: Watch 3F **17**
Oxford St. SN1: Swin 2C **28** (3C **4**)

P

Pack Hill SN4: Wan 6E **31**
Packington Cl. SN5: Swin 1E **27**
Paddington Dr. SN5: Swin 2H **27**
Paddock, The SN6: High 5F **9**
Paddock Cl. SN25: Swin 1A **20**
Paddocks, The SN3: Stra S 4H **21**
Padstow Rd. SN2: Swin 3A **28**
Pakenham Rd. SN3: Swin 4A **30**
Palmers Way SN4: Wan 5G **31**
Parade, The SN1: Swin 2C **28** (3D **4**)
  SN5: Pur 6A **10**
Paradise Path SN6: High 4F **9**
Parhams Ct. SN4: Woot B 4D **24**
Parham Wlk. SN5: Swin 3C **26**
Park & Ride
  Copse 6D **12**
  Wroughton 1D **32**
Park Av. SN6: High 5F **9**
  SN6: Shriv .6G **17**
Park Farm SN25: Swin 3H **19**
Parklands Rd. SN3: Swin 3F **29** (6H **5**)
Park La. SN1: Swin 2B **28** (4A **4**)
  SN5: Lyd M 6A **18**
PARK NORTH .3H **29**
Parkside SN3: Stra S 3H **21**
  SN5: Pur 2A **18**
PARK SOUTH .4H **29**
Park Springs SN5: Swin 3F **27**
Parkstone Wlk. SN3: Swin 5A **30**
(off Cranmore Av.)
Park St. SN3: Stra S 4B **22**
Park Vw. Dr. SN5: Lyd M 6A **18**
Parr Cl. SN5: Swin 2D **26**
Parsley Cl. SN2: Swin 1G **19**
Parsonage Ct. SN6: High 4F **9**
Parsonage Farm Cl.
  SN6: Crick .3E **7**
Parsonage Rd. SN3: Stra S 3H **21**
Parson's La. SN6: Hann 3A **8**
Parson's Way SN4: Woot B 4D **24**
Partridge Cl. SN3: Swin 2D **30**
Passmore Cl. SN3: Swin 1D **30**
Pasture Cl. SN2: Swin 1H **27**
Pathfinder Way SN25: Swin 5E **11**
Patney Wlk. SN2: Swin 6C **12**
Paulet Cl. SN5: Swin 4D **26**
Pauls Cft. SN6: Crick 3F **7**
Paven Cl. SN5: Pur 5A **10**
Pavenhill SN5: Pur 5A **10**
Pavenhill Courtyard SN5: Pur 5A **10**
Peak, The SN5: Pur 6B **10**
Peaks Down SN5: Swin 4E **19**
Pearce Cl. SN2: Swin 6F **13**
Pearl Rd. SN5: Swin 1C **26**
PEATMOOR 5D **18**
Peatmoor Way SN5: Swin 5D **18**
Pembroke Cen. SN2: Swin 5H **19**
Pembroke Gdns. SN25: Swin 3H **19**
Pembroke St. SN1: Swin 4D **28** (6E **5**)
Pencarrow Cl. SN25: Swin 6H **11**
Pen Cl. SN25: Swin 2B **20**
Pendennis Rd. SN5: Swin 5D **26**
Penfold Gdns. SN1: Swin 4D **28**
PENHILL 1D **20**
Penhill Dr. SN2: Swin 1C **20**
Pennine Way SN25: Swin 5A **12**
Pennycress Cl. SN25: Swin 2H **19**

Pennyhooks La. SN6: Shriv 4D **16**
Penny La. SN3: Swin 1G **29**
Penrose Wlk. SN3: Swin 3H **29**
(off Dulverton Av.)
Pentridge Cl. SN3: Swin 1B **30**
Pentylands Cl. SN6: High 3E **9**
Penzance Dr. SN5: Swin 3H **27** (4A **4**)
Pepperbox Hill SN5: Swin 4E **19**
Percheron Cl. SN3: Swin 1D **26**
Percy St. SN2: Swin 1A **28** (2A **4**)
Peregrine Cl. SN3: Swin 6C **22**
Periwinkle Cl. SN3: Swin 3F **19**
Perry's La. SN4: Wro 4B **32**
Peter Furkins Ct. SN1: Swin 5A **4**
Petersfield Rd. SN3: Swin 4A **30**
Petter Cl. SN4: Wro 3C **32**
Pevensey Rdbt. SN5: Swin 4F **27**
Pevensey Way SN5: Swin 3F **27**
Pewsham Rd. SN2: Swin 1E **21**
Pheasant Cl. SN3: Swin 2D **30**
Phillips La. SN1: Swin 4E **29**
Phobe Way SN5: Swin 5E **11**
Piccadilly Rdbt. SN3: Swin 1B **30**
Pickford Way SN25: Swin 6B **12**
Pickwick Cl. SN2: Stra S 1F **21**
Picton Rd. SN5: Swin 1D **26**
Pigeon Ho. La. SN3: Stra S 3H **21**
Pike Ho. Cl. SN6: Crick 2D **6**
Pilgrim Cl. SN5: Swin 1D **26**
Pilgrims Cl. SN6: Watch 5H **17**
Pilton Cl. SN5: Swin 6C **18**
PINEHURST 3D **20**
Pinehurst Cl. SN2: Swin 3D **20**
Pinehurst Rd. SN2: Swin 3D **20**
(Chestnut Av.)
  SN2: Swin .5C **20**
(Hunter's Gro.)
Pinehurst Sports Cen. 3C **20**
Pinetree Ri. SN2: Swin 3C **20**
Pinnacle, The SN3: Swin 4E **29**
Pinnegar Way SN3: Swin 2D **30**
Pinnock's Pl. SN2: Stra S 2G **21**
Pintail Ct. SN15: Lyne 4F **37**
Pioneer Cl. SN5: Swin 1D **26**
Pioneer Rd. SN25: Swin 5E **11**
Pipers Cl. SN4: Woot B 5C **24**
Pipers Rdbt. SN3: Swin 6F **29**
Pipers Way SN3: Swin 1D **32**
Pipitdene SN3: Swin 1C **30**
Pitchens, The SN4: Wro 5C **32**
(not continuous)
Pittsfield SN6: Crick 3E **7**
Planks, The SN3: Swin 4E **29**
Plattes Cl. SN5: Swin 6E **19**
Play Cl. SN5: Pur 5C **10**
Plaza, The SN1: Swin 4E **5**
Pleydell Rd. SN1: Swin 6D **28**
Pleydells SN6: Crick 2E **7**
Plummer Cl. SN4: Wro 4B **32**
Plymouth St.
  SN1: Swin 2E **29** (3G **5**)
Poachers Way SN25: Swin 5A **12**
Polaris Ho. SN2: Swin 1C **28** (1D **4**)
Polaris Way SN2: Swin 1C **28** (1D **4**)
Polonez Ct. SN25: Swin 6G **11**
Poltondale SN3: Swin 1C **30**
Pond St. SN25: Swin 1A **20**
Pontings Cl. SN26: Blun 2D **12**
Ponting St. SN1: Swin 1D **28** (1F **5**)
Poole Rd. SN25: Swin 3H **19**
Poor St. SN5: Pur 6A **10**
Pope Cl. SN25: Swin 1A **20**
Poplar Av. SN2: Swin 4D **20**
Popplechurch Dr. SN3: Swin 1D **30**
Portal Pl. SN15: Lyne 4E **37**
Portal Rd. SN2: Swin 4B **20**
Porth Cl. SN25: Swin 5F **11**
Portland Av. SN1: Swin 4B **28**
Portmore Cl. SN5: Swin 4F **19**
Portsmouth St. SN1: Swin 2E **29** (3G **5**)
Portwell SN6: Crick 3E **7**
Potterdown Rd. SN2: Swin 1D **20**
Poulton St. SN2: Swin 6D **20**
Pound Cl. SN15: Lyne 2E **37**
Pound La. SN2: Swin 4C **20**
Pound Rd. SN6: High 3E **9**
Powdrill's Yd. SN3: Stra S 4G **21**

Poynings Way SN5: Swin 4C **26**
Premier Ho. SN1: Swin 1D **28** (2D **4**)
PRESTON 4G **37**
Preston La. SN15: Lyne, Pres 3F **37**
Primrose Cl. SN3: Swin 1G **19**
Primrose Hill SN4: Tock 1H **37**
Prince Rupert Ct. SN5: Swin 4D **26**
Princes Ho. SN1: Swin 4F **5**
Princess Gdns. SN4: Woot B 3D **24**
Princes St. SN1: Swin 2D **28** (3F **5**)
PRINNELS, THE 2C **26**
Prior's Hill SN4: Wro 5C **32**
Priory, The SN6: Crick 1F **7**
Priory Grn. SN6: High 4F **9**
(not continuous)
Priory Mnr. SN25: Swin 5H **11**
Priory Rd. SN3: Swin 4H **29**
(not continuous)
Pritchard Cl. SN2: Stra S 1G **21**
Prospect Hill SN1: Swin 3D **28** (6F **5**)
PROSPECT HOSPICE 4D **32**
Prospect Pl. SN1: Swin 4D **28** (6F **5**)
Proud Cl. SN5: Pur 6B **10**
PRY, THE 1C **18**
Pulsar Rd. SN25: Swin 5E **11**
Purbeck Cl. SN3: Swin 1B **30**
Purley Av. SN3: Swin 5A **30**
Purley Cl. SN4: Wro 4C **32**
Purley Rd. SN4: Lidd 1E **35**
Purslane Cl. SN2: Swin 3F **19**
PURTON 5C **10**
Purton Ct. SN5: Pur 5C **10**
Purton Rd. SN2: Swin 3F **19**
(not continuous)
  SN5: Swin .4D **18**
PURTON STOKE 2A **10**

Q

Quadrillion Ind. Est. SN5: Swin 1G **27**
Quakers La. SN11: Goat 6C **36**
Quakers Wlk. SN11: Goat 6D **36**
Quarries, The SN1: Swin 5D **28**
Quarrybrook Cl. SN3: S Mars 1D **22**
Quarry Cres. SN6: High 4E **9**
Quarry M. SN1: Swin 5D **28**
Quarry Rd. SN1: Swin 4D **28**
Queenborough SN5: Swin 4F **27**
Queen Elizabeth Dr. SN25: Swin 2F **19**
Queens Av. SN6: High 4F **9**
Queens Dr. SN3: Swin 2F **29** (3H **5**)
(not continuous)
QUEENSFIELD .1E **21**
Queensfield SN2: Stra S 1E **21**
Queens Rd. SN4: Woot B 3D **24**
Queens Ho. Hann, High 3A **8**
Queen St. SN1: Swin 2C **28** (3D **4**)
Queintin Rd. SN3: Swin 5E **29**

R

Radcot Cl. SN5: Swin 5D **18**
Radley Cl. SN3: Swin 1B **30**
Radnor St. SN1: Swin 3B **28** (6B **4**)
Radstock Av. SN3: Swin 2A **30**
Radway Rd. SN3: Stra S 3G **21**
RAF LYNEHAM AIRFIELD 1B **36**
Raggett St. SN1: Swin 3D **28** (6E **5**)
Raglan Cl. SN3: Swin 6F **29**
Rainer Cl. SN3: Stra S 3A **22**
Rainham Rd. SN25: Swin 5A **12**
Raleigh Av. SN3: Swin 1D **26**
RAMLEAZE 1D **26**
Ramleaze Dr. SN5: Swin 1D **26**
Ramsbury Av. SN2: Swin 1C **20**
Ramsden Rd. SN5: Swin 5C **26**
Ramsden Rdbt. SN5: Swin 6C **26**
Ramsthorn Cl. SN2: Swin 2G **19**
Randall Cres. SN5: Swin 6D **18**
Randolph Cl. SN3: Swin 3G **29**
Rannoch Cl. SN5: Swin 4E **19**
Ransome Cl. SN5: Swin 6E **19**
Ratcombe Rd. SN5: Swin 4D **18**
Ravenglass Rd. SN5: Swin 2F **27**
Ravenscroft SN3: Swin 6B **22**

Ravenseft Pk.—Sheppard St.

Ravenseft Pk. SN2: Swin 5H 19
Ravens Wlk. SN4: Woot B 3F 25
Rawlings Cl. SN3: S Mars 2D 22
Rawston Cl. SN3: Swin 2B 30
Raybrook Cres. SN2: Swin 2H 27
Ray Cl. SN25: Swin 2B 20
Rayfield Gro. SN2: Swin 6C 20
Reading St. SN1: Swin 2C 28 (3C 4)
Read St. SN1: Swin 3B 28 (5B 4)
Recreation Rd. SN6: Shriv 5E 17
Rectory Cl. SN4: Wro 6F 33
Rectory La. SN6: Crick 2F 7
Redbridge Cl. SN1: Swin 4A 28
Redcap Gdns. SN5: Swin 1D 26
Redcliffe St. SN2: Swin 2A 28 (3A 4)
Red Gables Cl. SN5: Pur 6A 10
Redhouse Way SN25: Swin 5F 11
REDLANDS 1E 15
Redlands Cl. SN6: High 6F 9
Red Lion La. SN6: Crick 2F 7
Redlynch Cl. SN2: Swin 1D 20
Redposts Dr. SN1: Swin 4A 28
Redruth Cl. SN3: Swin 3A 30
Reeds SN6: Crick 2D 6
Reeves Cl. SN3: Swin 4B 30
Regent Circ. SN1: Swin 3D 28 (5E 5)
Regent Cl. SN1: Swin 2D 28 (4E 5)
Regents Pl. SN1: Swin 6G 21
Regent St. SN1: Swin 2C 28 (3D 4)
Reid's Piece SN5: Pur 6B 10
Renoir Cl. SN25: Swin 4B 12
RESTROP 6A 10
Restrop Rd. SN5: Pur, Rest 6A 10
Restrop Vw. SN5: Pur 5A 10
Retingham Way SN3: Stra S 1H 21
Retreat, The SN6: High 4E 9
Revell Cl. SN2: Stra S 2F 21
Reynolds Way SN25: Swin 4B 12
Rhine Cl. SN1: Swin 4A 28
Rhuddlan SN5: Swin 4E 27
Richard Jefferies Gdns. SN4: Chi 6C 34
Richard Jefferies Mus. 6A 30
Richards Cl. SN4: Woot B 4C 24
Richmond Rd. SN2: Swin 5B 20
Ridge, The SN26: Blun 2C 12
Ridge Grn. SN5: Swin 1E 27
Ridge Nether Moor SN3: Swin 6D 30
Ridgeway, The SN4: Bad, Chi 6D 34
RIDGEWAY BMI HOSPITAL 4C 32
Ridgeway Cl. SN2: Swin 4A 20
Ridgeway Rd. SN2: Stra S 1F 21
Ridgeway Sports Cen., The 3C 32
Ridings, The SN2: Swin 6B 20
Rigel Cl. SN25: Swin 5E 11
Ringsbury Cl. SN5: Pur 6A 10
Ringwood Cl. SN3: Swin 2A 30
Rinsdale Cl. SN5: Swin 5E 19
Ripley Rd. SN1: Swin 4D 28
Ripon Way SN3: Swin 5H 29
Ripplefield SN5: Swin 4E 27
Risingham Mead SN5: Swin 3F 27
Rivenhall Rd. SN5: Swin 3F 27
Riverdale Cl. SN1: Swin 6D 28
Riverdale Wlk. SN1: Swin 6D 28
Rivergate SN5: Swin 6F 19
RIVERMEAD 6F 19
Rivermead Dr. SN5: Swin 6F 19
Rivermead Ind. Est. SN5: Swin 6F 19
River Ray Est. SN2: Swin 1G 27
Rivers Way SN6: High 4E 9
Roberts Cl. SN4: Wro 5C 32
Robins Cl. SN4: Woot B 3F 25
Robinsgreen SN3: Swin 1C 30
Robinson Cl. SN3: Swin 2C 30
Roche Cl. SN3: Swin 4C 30
Rochester Cl. SN5: Swin 4E 27
Rochford Cl. SN5: Swin 3D 26
Rockdown Ct. SN2: Swin 2E 21
RODBOURNE 5A 20
RODBOURNE CHENEY 3B 20
Rodbourne Rd. SN2: Swin 6A 20 (1A 4)
Rodbourne Rdbt. SN2: Swin 6A 20
Rodway SN4: Wan 5G 31
Rodwell Cl. SN3: Swin 4H 29
Roebuck Cl. SN4: Woot B 3E 25
Rogers Cl. SN3: Swin 1H 29
Rolleston St. SN1: Swin 3D 28 (6F 5)
Roman Cres. SN1: Swin 5C 28
Roman Way SN6: High 5E 9
Romney Way SN5: Swin 2D 26
Romsey St. SN2: Swin 1A 28
Rope Yd. SN4: Woot B 4C 24
Rosary, The SN4: Woot B 3D 24
Rosebery St. SN1: Swin 1E 29 (1G 5)
Rosedale Rd. SN3: Swin 4A 30
Rosehill Cl. SN15: Brad 1B 36
Rosemary Cl. SN2: Swin 1G 19
Rose St. SN2: Swin 1A 28
Rosetta Cl. SN25: Swin 5E 11
Rosewood Ct. *SN3: Swin 5C 30*
(off Liden Dr.)
Ross Gdns. SN3: Stra S 2H 21
Rother Cl. SN25: Swin 1A 20
Rotten Row SN4: Wan 5G 31
ROUGHMOOR 4D 18
Roughmoor Farm Cl. SN5: Swin 5D 18
Roughmoor Way SN5: Swin 1D 26
Roundhills Mead SN6: High 2F 9
Roundway Down SN5: Swin 5E 27
Roves Farm Vis. Cen. 6G 15
Roves La. SN6: Seven 3G 15
Rowan SN2: Swin 4F 21
Rowan Dr. SN4: Woot B 4D 24
Rowan Rd. SN2: Swin 3B 20
Rowan Wlk. SN6: Watch 2H 17
Rowborough La. SN3: S Mars 3E 23
Rowland Hill Cl. SN3: Swin 4D 30
Row, The SN2: Swin 5E 21
Rowton Heath Way SN5: Swin 3D 26
Royston Rd. SN3: Swin 4H 29
Rubens Cl. SN25: Swin 4A 12
Ruckley Gdns. SN3: Stra S 4A 22
Rushall Cl. SN2: Swin 1C 20
Rushmere Path SN25: Swin 1A 20
Rushton Rd. SN3: Swin 5H 29
Ruskin Av. SN2: Stra S 3G 21
Ruskin Dr. SN4: Woot B 2E 25
Russell Wlk. SN3: Swin 2F 29
Russley Cl. SN5: Swin 5C 18
Rutland Dr. SN3: Swin 3G 29
Ruxley Cl. SN4: Woot B 4C 24
Ryan Cl. SN5: Swin 4E 19
Rycote Cl. SN5: Swin 2D 26
Rydal Cl. SN25: Swin 1A 20
Rye Cl. SN5: Swin 1D 26
Rylands Way SN4: Woot B 3D 24

S

Sackville Cl. SN3: Swin 1G 29
Saddleback Rd. SN5: Swin 1D 26
Sadler Wlk. SN3: Swin 3G 29
Saffron Cl. SN4: Woot B 1D 24
SN25: Swin 3H 19
Sage Cl. SN2: Swin 1G 19
St Albans Cl. SN2: Swin 1H 27
St Ambrose Cl. SN3: Swin 2C 30
St Andrews Cl. SN4: Wro 3C 32
St Andrews Ct. SN4: Wro 3C 32
SN25: Blun 4H 11
St Andrews Grn. SN3: Swin 1D 30
ST ANDREW'S RIDGE 4B 12
St Austell Way SN2: Swin 2A 28
St Clements Ct. *SN3: Swin 4H 29*
(off Horsham Cres.)
St Helens Gdns. SN4: Wro 5C 32
St Helens Vw. SN1: Swin 4A 28
St Ives Ct. *SN3: Swin 1B 30*
(off Tyneham Rd.)
St James Cl. SN2: Stra S 1E 21
St John Rd. SN4: Wro 4B 32
St Julians Cl. SN3: S Mars 2D 22
St Katherine Grn. SN3: Swin 1D 30
St Margarets Grn. SN3: Stra S 4A 22
St Margarets Pk. SN3: Stra S 4C 22
St Margaret's Rd. SN3: Swin 5E 29
St Marks Tennis Cen. 6D 20
St Mary's Cl. SN15: Brad 2A 36
St Mary's Gro. SN2: Swin 6C 20
St Michaels Av. SN6: High 4D 8
St Michaels Cl. SN15: Lyne 1D 36
St Paul's Dr. SN3: Swin 1D 30
St Paul's St. SN2: Swin 5D 20
St Phillip's Rd. SN2: Stra S 3F 21
Salcombe Gro. SN3: Swin 3G 29
Salisbury St. SN1: Swin 1D 28 (1F 5)
Salop Cl. SN6: Shriv 6E 17
Saltash Rd. SN5: Swin 3A 28
Saltram Cl. SN3: Swin 2B 30
Salt Spring Dr. SN4: Woot B 4B 24
Salzgitter Ct. *SN5: Swin 3F 27*
(off Affleck Cl.)
Salzgitter Dr. SN25: Swin 4B 12
Sams La. SN26: Blun 2D 12
Sandacre Rd. SN5: Swin 6C 18
SANDALWOOD COURT 2A 22
Sandgate SN3: Stra S 5A 22
Sandgate M. SN3: Stra S 5A 22
Sand Hill SN6: Shriv 5D 16
Sandown Av. SN3: Swin 5F 29
Sandpiper Bri. SN3: Swin 1D 30
Sandringham Rd. SN3: Swin 5G 29
Sandstone Rd. SN25: Swin 5A 12
Sandwood Cl. SN5: Swin 4E 19
Sandy La. SN1: Swin 4C 28
SN6: Shriv 6E 17
Sanford St. SN1: Swin 2D 28 (3E 5)
Sarsen Cl. SN1: Swin 4A 28
Savernake Ct. SN1: Swin 6E 5
Savernake St. SN1: Swin 3D 28 (6D 4)
Savill Cres. SN4: Wro 3A 32
Sawyer Rd. SN25: Swin 6C 12
Saxon Cl. SN6: Crick 3E 7
Saxon Ct. SN3: Swin 4E 29
Saxon Mill SN4: Chi 6C 34
Saxon Orchard SN6: Watch 2G 17
Saxton Wlk. SN5: Swin 6E 19
Scarborough Rd. SN2: Swin 6A 20
Scarlet Cl. SN25: Swin 5A 12
Scholar Cl. SN6: Watch 5H 17
School Cl. SN3: Stra S 3A 22
SN4: Chi 6C 34
School Row SN25: Swin 2H 19
Science Mus.
Wroughton 6A 32
Scotby Av. SN3: Swin 5F 29
Scotney Cres. SN25: Swin 6A 12
Seagry Ct. SN2: Swin 1C 20
Seaton Cl. SN25: Swin 1A 20
Sedgebrook SN3: Swin 6C 30
Sefton Rd. SN25: Swin 5F 11
Selby Cres. SN5: Swin 4E 27
Seldon Cl. SN3: Swin 2F 29
Semley Wlk. SN2: Swin 2D 20
Sevenfields SN6: High 3F 9
SEVENHAMPTON 3G 15
Severn Av. SN25: Swin 2B 20
Seymour Rd. SN3: Swin 2G 29
Shaftesbury Av. SN3: Swin 5A 30
Shaftesbury Cen. SN2: Swin 2A 4
Shaftesbury Cl. SN5: Pur 4C 10
Shakespeare Path SN2: Stra S 3G 21
Shakespeare Rd. SN4: Woot B 2E 25
Shalbourne Cl. SN2: Swin 1C 20
Shanklin Rd. SN25: Swin 2H 19
Shaplands SN3: Stra S 4H 21
(Casson Rd.)
SN3: Stra S 2H 21
(off Highworth Rd.)
Shapwick Cl. SN3: Swin 1B 30
Sharp Cl. SN5: Swin 1E 27
Shaw Ridge Leisure Pk. 2E 27
Shaw Rd. SN5: Swin 1E 27
(Cartwright Dr.)
SN5: Swin 2F 27
(Stonehill Grn.)
Shaw Village Cen. SN5: Swin 1D 26
Shearings, The SN1: Swin 4D 28
Shearwood Rd. SN5: Swin 5D 18
Sheen Cl. SN5: Swin 4C 26
Sheep St. SN6: High 4F 9
Sheerwold Cl. SN3: Stra S 3A 22
Shelfinch SN5: Swin 4G 27
Shelley Av. SN4: Woot B 2E 25
Shelley St. SN1: Swin 3C 28 (5C 4)
Shenton Cl. SN3: Stra S 3A 22
Shenton Ct. SN3: Stra S 4A 22
Shepherds Breach
SN4: Woot B 3D 24
Sheppard St. SN1: Swin 2C 28 (3C 4)

Shepperton Way SN25: Swin 6A 12
(not continuous)
Sherborne Pl. SN3: Swin 1A 30
Sherfields SN4: Woot B 4E 25
Sherford Rd. SN25: Swin 2H 19
Sheridan Dr. SN4: Woot B 2E 25
Sheringham Ct. *SN3: Swin* *5C 30*
(off Liden Dr.)
Sherston Av. SN2: Swin 1D 20
Sherwood Rd. SN3: Swin 4A 30
Shetland Cl. SN5: Swin 1D 26
Shield Dr. SN15: Lyne 4E 37
Shipley Dr. SN25: Swin 6A 12
Shipton Gro. SN3: Swin 3F 29
Shire Cl. SN5: Swin 1D 26
Shire Ct. SN1: Swin 3B 28 (6A 4)
Shirley Cl. SN3: Swin 1G 29
Short St. SN6: Watch 3G 17
Showfield SN4: Woot B 2C 24
Shrewsbury Rd. SN3: Swin 2G 29
Shrewton Wlk. SN2: Swin 6D 12
SHRIVENHAM 6E 17
Shrivenham Hundred Bus. Pk.
SN6: Watch 2F 17
Shrivenham Rd. SN1: Swin 1F 29 (3H 5)
(not continuous)
SN6: High 5F 9
Shropshire Cl. SN5: Swin 1E 27
Shute Av. SN6: Watch 4G 17
Sidney Cl. SN3: Swin 2F 29
SN5: Swin 4C 26
Sigerson Rd. SN25: Swin 1F 19
Signal Way SN3: Swin 5E 29
Silbury M. SN25: Swin 3H 19
Silchester Way SN5: Swin 2F 27
Silto Ct. SN2: Swin 5A 20
Silverton Rd. SN3: Swin 2A 30
Simnel Cl. SN5: Swin 3C 26
Skewbridge Cl. SN4: Woot B 4B 24
Skinner's Cl. SN6: Hann 3A 8
Skye Cl. SN6: High 3E 9
Slade Dr. SN3: Stra S 6H 21
Slate Mdw. SN4: Wan 5G 31
Sleaford Cl. SN5: Swin 2D 26
Slessor Rd. SN15: Lyne 4E 37
Slipper La. SN4: Chi 6C 34
Smitan Brook SN3: Swin 2C 30
Snapps Cl. SN4: Wro 5C 32
Snodshill Rdbt. SN3: Swin 5B 30
Snowdon Pl. SN3: Stra S 2F 21
Snowdrop Cl. SN25: Swin 1G 19
Snowshill Cl. SN25: Swin 1A 20
Somerdale Cl. SN5: Swin 2F 27
Somerford Cl. SN2: Swin 2E 21
Somerset Rd. SN2: Swin 5A 20
Somerville Rd. SN3: Swin 2G 29
Sorrel Cl. SN4: Woot B 1D 24
Sound Copse SN5: Swin 4E 19
Southampton St. SN1: Swin 2E 29 (4G 5)
Southbank Glen SN4: Woot B 3E 25
Southbrook St. SN2: Swin 6C 20
Southbrook St. Extension SN2: Swin 6C 20
Southdown SN4: Wan 6G 31
South Dr. SN25: Blun 4A 12
Southernwood Dr. SN2: Swin 2F 19
Southey Cl. SN25: Swin 5D 10
SOUTH MARSTON 1D 22
Sth. Marston Ind. Est. SN3: S Mars 6B 14
South Mdw. La. SN6: Pur S 1B 10
SN26: Pur S 1B 10
South St. SN1: Swin 4D 28 (6F 5)
SN6: Watch 3G 17
Southview SN4: Lyne 1E 37
South Vw. Av. SN3: Swin 3F 29
Southwick Av. SN2: Swin 1C 20
Southwold Cl. SN25: Swin 6E 11
Soyuz Cres. SN25: Swin 5D 10
Spa Cl. SN6: High 3G 9
SPARCELLS 4E 19
Sparcells Dr. SN5: Swin 4E 19
Sparrows La. SN4: Woot B 3C 24
Speedwell Cl. SN25: Swin 1H 19
Spencer Cl. SN5: Swin 1C 26
Spencers Orchard SN4: Wro 4B 32
Spenser Cl. SN3: Swin 1H 29
Spereholt SN5: Swin 4G 27
Spindle Tree Ct. SN2: Swin 4C 20

Spinney Cl. SN4: Lidd 3G 35
Spital La. SN6: Crick 3F 7
Spitfire Way SN3: S Mars 5B 14
Spittleborough Rdbt. SN4: Woot B 6B 26
Sprats Barn Cres. SN4: Woot B 3C 24
Spring Cl. SN1: Swin 2D 28 (3F 5)
Springfield Cl. SN6: Shriv 6E 17
Springfield Cres. SN4: Woot B 3C 24
Springfield Rd. SN1: Swin 5D 28
Spring Gdns. SN1: Swin 2D 28 (4F 5)
Spring Gdns. Rdbt. SN1: Swin 2D 28 (3F 5)
Springhill Cl. SN5: Swin 3F 27
Springlines SN4: Wan 5H 31
Spruce Ct. *SN2: Swin* *4C 20*
(off Tree Courts Rd.)
Spur Way SN2: Stra S 3F 21
Square, The SN4: Wan 4E 29
Squires Copse SN5: Swin 5D 18
Squires Hill Cl. SN4: Woot B 3E 25
Squires Rd. SN6: Watch 3G 17
Squirrel Cl. SN4: Woot B 3E 25
Stable Ct. *SN4: Woot B* *3C 24*
Stacey's La. SN4: Wan 6H 31
Stackpole Cres. SN25: Swin 4F 11
Stafford St. SN1: Swin 3C 28 (6D 4)
Stainswick La. SN6: Shriv 6F 17
Stallpits La. SN6: Shriv 5C 16
Stallpits Rd. SN6: Shriv 5D 16
Stamford Cl. SN5: Swin 3E 27
Stanbridge Pk. SN5: Swin 1D 26
Stancombe Pk. SN5: Swin 3G 27
Standen Way SN25: Swin 5B 12
Standings Cl. SN5: Swin 6D 18
Stanford Rd. SN25: Swin 5F 11
Stanier St. SN1: Swin 3C 28 (5D 4)
Stanley Cl. SN4: Wan 5G 31
Stanley Honey Ct. SN3: Swin 2G 29
Stanley St. SN1: Swin 3D 28 (6F 5)
Stanmore St. SN1: Swin 3B 28 (6B 4)
Stansfield Cl. SN5: Swin 4G 27
STANTON FITZWARREN 2A 14
Stanway Cl. SN3: Swin 4H 29
Stapleford Cl. SN2: Swin 6C 12
Stapleford Way SN2: Swin 6C 12
Stapler's La. SN6: Hann 5A 8
Stapleton Cl. SN6: High 5E 9
Stardust Cres. SN25: Swin 5D 10
Staring Cl. SN5: Swin 6C 18
Star La. SN6: Watch 3F 17
Station App. SN1: Swin 5E 29
Station Ind. Est. SN1: Swin 2C 28 (3C 4)
Station Rd. SN1: Swin 1C 28 (2D 4)
SN4: Chi 6C 34
SN4: Woot B 4C 24
SN5: Pur, Wid .5C 10
SN6: High 4E 9
SN6: Shriv 6E 17
Station Yd. SN5: Wid 4C 10
Staverton Way SN2: Swin 6D 12
Steadings, The SN4: Woot B 4E 25
Stedham Wlk. SN3: Swin 4A 30
Stenbury Cl. SN5: Swin 5B 12
Stenness Cl. SN5: Swin 4F 19
Stephenson Rd. SN25: Swin 5D 12
Stephens Rd. SN3: Stra S 5H 21
Stevenson Rd. SN25: Swin 1F 19
Stewart Cl. SN25: Swin 6C 12
Stirling Cl. SN4: Wro 3B 32
Stirling Rd. SN3: S Mars 6B 14
Stockbridge Copse SN5: Swin 4E 19
Stockham Cl. SN6: Crick 2F 7
Stockton Rd. SN3: Swin 2D 20
Stoke Comn. La. SN5: Pur S 2A 10
Stokesay Dr. SN5: Swin 4F 27
Stonecrop Way SN25: Swin 1H 19
Stonefield Cl. SN5: Swin 1F 27
SN6: Shriv 6F 17
Stonefield Dr. SN6: High 6F 9
Stonehill Grn. SN5: Swin 2G 27
(not continuous)
Stonehurst Cl. SN3: Stra S 5H 21
Stone La. SN5: Lyd M 5A 18
Stoneover La. SN4: Woot B 3E 25
Stones La. SN6: Crick 1B 6
Stoney Beck Cl. SN5: Swin 2G 27
Stour Rd. SN25: Swin 2C 20
Stour Wlk. SN25: Swin 2C 20

Stranks Cl. SN6: High 6F 9
Stratford Cl. SN5: Swin 3G 27
Stratton Ct. SN3: Stra S 3H 21
SN5: Pur 5B 10
STRATTON GREEN 5A 22
Stratton Lodge SN3: S Mars 5A 14
Stratton Orchard SN3: Stra S 4H 21
Stratton Rd. SN1: Swin 6G 21
STRATTON ST MARGARET 3A 22
Stratton St Margaret By-Pass
SN2: Stra S, Swin 5E 13
SN3: Stra S, Swin 1H 21
SN3: Swin 6D 30
SN3: Swin 5E 13
Street, The SN4: Lidd 3G 35
SN5: Lyd M 6A 18
SN3: Swin 3H 19
(not continuous)
Stroma Way SN6: High 3D 8
Stroud's Hill SN4: Chi 6C 34
Stuart Cl. SN3: Swin 2G 29
Stubsmeads SN3: Swin 3B 30
Studland Cl. SN3: Swin 5A 30
Sudeley Way SN5: Swin 3C 26
Studio, The SN1: Swin 4G 5
Suffolk St. SN2: Swin 6D 20
Summerhouse Rd. SN4: Wro 3A 32
Summers St. SN2: Swin 1A 28 (1A 4)
Sun La. SN4: Wro 5B 32
Sunningdale Rd. SN25: Swin 2D 20
Sunnyside Av. SN1: Swin 4B 28 (6A 4)
Supermarine Sports & Social Club 4C 14
Surrey Rd. SN2: Swin 5B 20
Sussex Sq. SN3: Swin 2G 29
Sutton Pk. SN26: Blun 3D 12
Sutton Rd. SN3: Swin 4B 30
Swallowdale SN3: Swin 1C 30
Swallowfield Av. SN3: Swin 3G 29
Swallows Mead SN4: Woot B 3F 25
Swanage Wlk. SN25: Swin 3H 19
SWANBOROUGH .6B 8
Swansbrook SN3: Swin 6C 22
Swift Av. SN25: Swin 5B 12
Swinburne Pl. SN4: Woot B 2D 24
SWINDON 2D 28 (3E 5)
Swindon and Cricklade Railway 3C 10
Swindon Arts Cen. 4E 29
Swindon Cricket Ground (County Ground)
. . . . .1E 29 (1H 5)
Swindon Europark SN5: Swin 6E 27
Swindon Mus. & Art Gallery 4D 28
(off Bath Rd.)
SWINDON NEW TOWN 2E 29 (3F 5)
Swindon Rd. SN1: Swin 3D 28 (6E 5)
SN3: Stan F 4C 14
SN3: Stra S 5H 21
SN4: Woot B 1E 25
SN4: Wro 3C 32
SN6: Calc, Crick 3G 7
SN6: High, Stan F 6E 9
Swindon Stadium (Greyhound & Speedway)
. . . . .4C 12
Swindon Station (Rail) 1C 28 (2D 4)
Swindon St. SN6: High 5F 9
Swindon Town FC (County Ground)
. . . . .1E 29 (2H 5)
Swinley Dr. SN5: Swin 4D 18
Sword Gdns. SN1: Swin 4A 28
Sycamore Cl. SN15: Lyne 3G 37
Sycamore Gro. SN2: Swin 4D 20
Symonds SN5: Swin 5E 27
Syon Cl. SN25: Swin 6A 12
Sywell Rd. SN3: Stra S 6B 22

T

Tadpole La. SN5: Pur S 4D 10
SN25: Blun 4F 11
Tallis Wlk. SN5: Swin 3D 26
Tallow La. SN4: Wan 5G 31
Tamar Cl. SN25: Swin 2B 20
Tamworth Dr. SN5: Swin 1D 26
Tanners Cl. SN4: Woot B 3C 24
Tansley Moor SN3: Swin 5D 30
Taplow Wlk. SN3: Swin 4H 29
Tarka Cl. SN25: Swin 5A 12

Tarragon Cl. SN2: Swin 2F **19**
Tatley Wlk. SN4: Chi 6D **34**
Tattershall SN5: Swin 5F **27**
Taunton St. SN1: Swin 2B **28** (4B **4**)
Tavistock Rd. SN3: Swin 2A **30**
TAW HILL 1F **19**
Tawny Owl Cl. SN3: Stra S 6B **22**
Taylor Cres. SN3: Stra S 2H **21**
Teal Av. SN15: Lyne 3E **37**
Tealsbrook SN3: Swin 1C **30**
Techno Trad. Est. SN2: Swin 5E **21**
(Athena Av.)
SN2: Swin .5F **21**
(Bramble Rd.)
Tedder Cl. SN2: Swin 4C **20**
Tees Cl. SN25: Swin 2B **12**
Teeswater Cl. SN5: Swin 2D **26**
Telford Pool SN2: Swin 6A **20**
Telford Way SN5: Swin 4G **27**
Templars Firs SN4: Woot B 5D **24**
Templar's Way Ind. Est. SN4: Woot B . . .6C **24**
Temple St. SN1: Swin 3D **28** (5E **5**)
Tenby Cl. SN3: Swin 5G **29**
Tennyson Rd. SN4: Woot B 2E **25**
Tennyson St. SN1: Swin 3C **28** (5C **4**)
Ten Pin Bowling 2E **27**
Tenzing Gdns. SN2: Swin 3D **20**
Terncliff SN3: Swin 1C **30**
Testhouse Rdbt. SN2: Swin 1B **28** (2A **4**)
Tewkesbury Cross Rdbt. SN5: Swin 3E **27**
Tewkesbury Way SN5: Swin 1B **26**
Thackeray SN3: Swin 4C **30**
Thames Av. SN25: Swin 1H **19**
Thames Cl. *SN6: Crick* *2F **7***
(off Thames La.)
Thamesdown Dr. SN2: Swin 6E **11**
SN25: Swin 1E **19**
Thames La. SN6: Crick 2F **7**
Thames Path SN6: Ash K 1A **6**
SN6: Crick .2F **7**
Thatchers, The SN25: Swin 5D **12**
Theatre Sq. SN1: Swin 5F **5**
Theobald St. SN1: Swin 2C **28** (4C **4**)
Thetford Way SN25: Swin 1F **19**
Thirlmere SN3: Swin 5D **30**
Thistledown SN4: Wan 5G **31**
Thistly Mead Rdbt. SN5: Swin 1F **27**
Thomas Edward Coard Bldg.
SN2: Swin *6E **21***
(off Cricklade Rd.)
Thomas St. SN2: Swin 1A **28** (2A **4**)
Thorley Ct. SN5: Swin 6B **12**
Thornbridge Av. SN3: Swin 4H **29**
Thorne Rd. SN3: Swin 4B **30**
Thornford Dr. SN5: Swin 3F **27**
Thornhill Dr. SN25: Swin 4A **12**
Thornhill Ind. Est. SN3: S Mars 3C **22**
Thornhill Rd. SN3: S Mars 4C **22**
Three Sisters Rd. SN4: Wan 5H **31**
Thresher Dr. SN5: Swin 5D **12**
Thrushel Cl. SN25: Swin 2H **19**
Thurlestone Rd. SN3: Swin 3F **29**
Thurney Dr. SN5: Swin 4C **26**
Thyme Cl. SN2: Swin 3F **19**
Tidworth Cl. SN1: Swin 4A **28**
Tilley's La. SN3: Stra S 5H **21**
Tilshead Wlk. SN1: Swin 1C **20**
Timandra Cl. SN25: Swin 6B **12**
Tinkers Fld. SN4: Woot B 3C **24**
Tintagel Cl. SN5: Swin 4E **27**
Tisbury Cl. SN2: Swin 6D **12**
Tismeads Cres. SN1: Swin 6D **28**
Titchfield Cl. SN5: Swin 3C **26**
Tithe Barn Cres. SN1: Swin 5A **28**
Tiverton Rd. SN2: Swin 5D **20**
TOCKENHAM .2H **37**
Tockenham Way
SN2: Swin .6C **12**
Tollard Cl. SN3: Swin 2B **30**
TOOTHILL 5E **27**
Toothill Rdbt. SN5: Swin 3F **27**
Toppers Cl. SN25: Swin 3B **20**
Torridge Cl. SN25: Swin 2A **20**
Torrington Ct. *SN3: Swin* *3H **29***
(off Welcombe Av.)
Tortworth Rd. SN25: Swin 5F **11**
Torun Way SN25: Swin 6G **19**

Totterdown Cl. SN3: Swin 1D **30**
Tourist Info. Cen.
Cricklade *2F **7***
Swindon . . . .*2D **28** (4E **5**)*
Tovey Rd. SN2: Swin 4B **20**
Towcester Rd. SN3: Stra S 6B **22**
Tower Rd. SN5: Swin 4E **19**
Townsend Rd. SN6: Shriv 6D **16**
Tracy Cl. SN25: Swin 6B **12**
Trajan Rd. SN3: Stra S 5B **22**
Transfer Bri. Ind. Est.
SN1: Swin 6E **21** (1H **5**)
Transfer Bridges Rdbt.
SN1: Swin 6E **21** (1G **5**)
Tree Courts Rd. SN2: Swin 4C **20**
Treforest Cl. SN25: Swin 5F **11**
Tregantle Wlk. SN3: Swin 4C **30**
Tregoze Way SN5: Swin 2C **26**
Trenchard Rd. SN6: Stan F 2A **14**
SN15: Lyne 4E **37**
Trentham Cl. SN3: Swin 4H **29**
Trent Rd. SN25: Swin 2B **20**
Trinity Cl. SN3: Swin 5H **29**
Trinity Ho. SN3: Swin 5H **29**
Truman Cl. SN3: Swin 4B **30**
Truro Path SN5: Swin 4E **27**
Tryon Cl. SN3: Swin 6C **30**
Tudor Cres. SN3: Stra S 5A **22**
Tudor Wlk. SN3: Swin 2G **29**
Tulip Tree Cl. SN2: Swin 4D **20**
Turl St. SN1: Swin 2D **28** (3F **5**)
Turnball SN4: Chi 6B **34**
Turner St. SN1: Swin 3B **28** (6A **4**)
Turnham Grn. SN5: Swin 5E **27**
Turnpike Rd. SN6: High 4F **9**
SN26: Blun 4D **12**
Turnpike Rdbt. SN25: Swin 5D **12**
Tweed Cl. SN25: Swin 2A **20**
Twineham Rd. SN25: Swin 4E **11**
Twyford Cl. SN3: Swin 2H **29**
Tyburn Cl. SN5: Swin 3E **27**
Tydeman St. SN2: Swin 5E **21**
Tyg Gdns. SN5: Swin 3C **26**
Tyndale Path SN5: Swin 3D **26**
Tyneham Rd. SN3: Swin 2B **30**

U

UGC Cinema .2E **27**
Ullswater Cl. SN3: Swin 5D **30**
Ulysses Rd. SN25: Swin 5E **11**
Underdown Cl. SN4: Wan 5G **31**
Union Row SN1: Swin 4E **29**
Union St. SN1: Swin 3D **28** (6F **5**)
Upavon Ct. SN2: Swin 1D **20**
Upfield SN3: Swin 5C **30**
Upham Rd. SN3: Swin 3E **29** (6H **5**)
Up. Pavenhill SN5: Pur 5A **10**
UPPER STRATTON 2F **21**
UPPER WANBOROUGH 6G **31**
Upton Cl. SN3: Swin 1A **20**
Urchfont Way SN2: Swin 2D **20**
Ursa Way SN25: Swin 5E **11**
Utah Cl. SN1: Swin 4C **28**
Uxbridge Rd. SN5: Swin 5D **26**

V

Vale Vw. SN4: Woot B 4C **24**
Valleyside SN1: Swin 4B **28**
Vanbrugh Ga. SN3: Swin 1G **33**
Vasterne Cl. SN5: Pur 5B **10**
Vastern Wharf SN4: Woot B 5A **24**
Vega Cl. SN25: Swin 5E **11**
Ventnor Cl. SN25: Swin 2H **19**
Verney Cl. SN3: Swin 2C **30**
Verulam Cl. SN3: Stra S 6C **22**
Verwood Cl. SN3: Swin 3H **29**
Vespasian Cl. SN3: Stra S 6B **22**
Vicarage La. SN6: High 4F **9**
SN6: Shriv .6F **17**
Vicarage Rd. SN2: Swin 5A **20**
Victoria Cl. SN11: New Z 5C **36**
Victoria Cross Rd. SN4: Wro 3A **32**
Victoria Dr. SN15: Lyne 4G **37**

VICTORIA HOSPITAL 4C **28**
Victoria Rd. SN1: Swin 3D **28** (5F **5**)
Victory Row SN4: Woot B 3C **24**
Viking Cl. SN25: Swin 5A **12**
Villett St. SN1: Swin 2C **28** (4C **4**)
Villiers Cl. SN5: Swin 1C **26**
Viscount Way SN3: S Mars 6B **14**
Volpe Cl. SN5: Swin 4C **26**
Volta Rd. SN1: Swin 2D **28** (3F **5**)
Vorda Rd. SN6: High 3F **9**
Vowley Vw. SN4: Woot B 4E **25**
Voyager Dr. SN25: Swin 5E **11**

W

Waggoner Cl. SN25: Swin 6C **12**
Wagtail Cl. SN3: Stra S 6B **22**
Wainwright Cl. SN3: Swin 4C **30**
Waite Meads Cl. SN5: Pur 5C **10**
Wakefield Cl. SN5: Swin 4D **26**
WALCOT EAST 2G **29**
Walcot Rd. SN3: Swin 3E **29** (5H **5**)
WALCOT WEST 3F **29**
Waldron Cl. SN3: Swin 4B **30**
Wallingford Cl. SN5: Swin 5F **27**
Wallis Dr. SN25: Swin 4B **12**
Wallsworth Rd. SN3: Swin 4H **29**
Walnut Cl. SN2: Swin 4F **21**
Walnut Tree Cl. SN3: Stra S 3A **22**
Walnut Tree Gdns. SN5: Lyd M 6A **18**
Walsinsham Rd. SN3: Swin 2G **29**
Walter Cl. SN5: Swin 2D **26**
Walton Cl. SN3: Swin 4G **29**
Walton Grange SN1: Swin 4D **28**
Walwayne Fld. SN3: Stra S 1H **21**
WANBOROUGH 5H **31**
Wanborough Rd. SN3: Stra S 5B **22**
SN3: Wan .1E **31**
Wanshot Cl. SN4: Wro 5D **32**
Warbeck Ga. SN4: Swin 3C **26**
Wardley Cl. SN3: Swin 4H **29**
Wardour Cl. SN3: Swin 5F **29**
Wareham Cl. SN5: Swin 3E **27**
Warminster Av. SN2: Swin 1D **20**
Warneage Grn. SN4: Wan 6G **31**
Warneford Cl. SN5: Swin 4G **27**
Warner Cl. SN3: Stra S 3A **22**
Warrener Cl. SN25: Swin 5C **12**
Warwick Rd. SN1: Swin 3D **28** (5F **5**)
Washbourne Rd. SN4: Woot B 4D **24**
WASHPOOL 5C **18**
WATCHFIELD .3G **17**
Watercrook M. SN5: Swin 3G **27**
Waterdown Cl. SN25: Swin 2F **19**
Water Fld. SN5: Pur 6A **10**
Water Furlongs SN6: Crick 3E **7**
Watermead SN3: Stra S 4B **22**
Waterside Way SN3: Swin 1C **34**
Watery La. SN5: Swin 2C **26**
Watling Cl. SN2: Swin 2H **27**
Wat Tyler Ho. SN1: Swin 4F **5**
Wavell Rd. SN2: Swin 4C **20**
Waverley Rd. SN3: Stra S 5B **22**
Waylands SN6: Crick 3F **7**
Wayne Cl. SN3: Swin 1B **20**
Wayside Cl. SN2: Swin 1H **27**
Weavers, The SN3: Swin 4E **29**
Webbs Ct. SN15: Lyne 2E **37**
Webbs Wood SN5: Swin 4D **18**
Wedgewood Cl. SN2: Swin 1B **28** (1A **4**)
Weedon Rd. SN3: Stra S 6A **22**
Weirside Av. SN4: Wro 4C **32**
Welbeck Cl. SN3: Swin 3G **29**
Welcombe Av. SN3: Swin 3H **29**
Welford Cl. SN3: Stra S 6B **22**
Well Cl. SN4: Chi 6C **34**
Wellington Sq. SN6: Watch 3G **17**
Wellington St. SN1: Swin 1D **28** (2E **5**)
Wells St. SN1: Swin 3D **28** (4F **5**)
Welton Rd. SN5: Swin 2G **27**
Wembley St. SN2: Swin 6A **20**
Wensleydale Cl. SN5: Swin 2E **27**
Wentworth Pk. SN5: Swin 4D **26**
(not continuous)
Wesley Ct. SN4: Woot B 2E **25**
Wesley St. SN1: Swin 4D **28**

Wessex Way SN6: High 3G 9
Westbourne Ct. SN2: Swin 2A 28
Westbrook Rd. SN2: Swin 5B 20
Westbury Pk. SN4: Woot B 4C 24
Westbury Rd. SN2: Swin 1C 20
Westcott Pl. SN1: Swin 3B 28 (6A 4)
Westcott St. SN1: Swin 3B 28 (5A 4)
West Dr. SN25: Blun 4A 12
West End Rd. SN3: Stra S 5H 21
Western St. SN1: Swin 3D 28 (6F 5)
Westfield Way SN2: Swin 2G 19
    SN25: Swin 2G 19
W. Highland Rd. SN25: Swin 5A 12
West Hill SN26: Blun 2C 12
Westhill Cl. SN6: High 5E 9
WESTLEA 3F 27
Westlea Campus 1F 27
Westlea Dr. SN5: Swin 3F 27
Westlea Rdbt. SN5: Swin 2G 27
Westlecot Indoor Bowls Club 5D 28
Westlecot Rd. SN1: Swin 5C 28
WESTMEAD 1G 27
Westmead Dr. SN5: Swin 2G 27
Westmead Ind. Est. SN5: Swin 2G 27
Westmead Rdbt. SN5: Swin 2G 27
W. Mill La. SN6: Crick 2D 6
Westminster Rd. SN5: Swin 4E 27
Westmorland Rd. SN1: Swin . . .3E 29 (5G 5)
WESTROP 4E 9
Westrop SN6: High 4E 9
W. Swindon Cen. SN5: Swin 3E 27
WEST TOCKENHAM 2H 37
Westview SN3: Swin 1A 30
Westwood Rd. SN2: Swin 6D 12
Wey Cl. SN25: Swin 2B 20
Weyhill Cl. SN3: Swin 3A 30
Whale Bri. Rdbt. SN1: Swin 3F 5
Whalley Cres. SN4: Wro 4A 32
Wharf Rd. SN4: Wro 2A 32
Wheatlands SN25: Swin 2H 19
Wheatstone Rd. SN3: Swin 4D 30
Wheeler Av. SN2: Swin 3E 21
Whilestone Way SN3: Stra S 5B 22
Whitbourne Av. SN3: Swin 3G 29
Whitbred Cl. SN5: Swin 1E 27
Whitby Gro. SN2: Swin 5A 20
Whitcombe Cl. SN15: Lyne 5D 36
White Beam Ct. SN2: Swin 4C 20
White Castle SN5: Swin 5F 27
White Edge Moor SN3: Swin 5D 30
Whitefield Cres. SN5: Swin 5D 18
White Hart Rdbt. SN3: Stra S 5H 21
Whitehead St. SN1: Swin 3C 28 (5C 4)
Whitehill Ind. Est. SN4: Woot B 4A 24
Whitehill La. SN4: Woot B 3A 24
Whitehill Way SN5: Swin 5C 26
Whitehorn Cl. SN4: Woot B 1D 24
White Horse La. SN6: Crick 2E 7
Whitehouse Rd. SN2: Swin 6C 20 (1E 5)
                    (not continuous)
Whitelands Rd. SN3: Stra S 5H 21
Whiteman St. SN2: Swin 6D 20
Whitgift Cl. SN5: Swin 2C 26
Whitmore Cl. SN5: Swin 2C 26
Whitney St. SN1: Swin 3D 28 (5E 5)
Whittington Rd. SN5: Swin 2F 27

Whitworth Rd. SN2: Swin 3B 20
Wichelstok Cl. SN1: Swin 5D 28
Wickdown Av. SN25: Swin 3A 20
Wick La. SN3: Swin 6D 30
                    (not continuous)
    SN3: Wan 2E 31
Wicks Cl. SN25: Swin 1H 19
WIDHAM 4C 10
Widhill La. SN26: Blun 3B 12
Wigmore Av. SN3: Swin 4G 29
Wilcot Av. SN2: Swin 1E 21
Wilcox Cl. SN2: Swin 4D 20
Wild Acre SN4: Wan 5G 31
Wildern Sq. SN3: Stra S 2H 21
Wilkins Cl. SN2: Stra S 1G 21
William Robbins Ct. SN25: Swin 3H 19
William St. SN1: Swin 3B 28 (6A 4)
Willington Rd. SN25: Swin 5H 11
Willis Way SN5: Pur 6B 10
Willowbrook SN1: Pur 5C 10
Willowherb Cl. SN25: Swin 1H 19
Willows, The SN5: Swin 4D 18
    SN6: High 5F 9
Willows Av. SN2: Swin 3D 20
Willow Wlk. SN4: Wro 5C 32
Wills Av. SN1: Swin 6F 21
Wilmot Cl. SN5: Swin 2C 26
Wilsford Ct. SN2: Swin 1D 20
                    (off Everleigh Rd.)
Wilson Rd. SN25: Swin 6A 12
Wilton Wlk. SN2: Swin 6D 12
Wiltshire Av. SN2: Swin 6B 20
Wiltshire Ho. SN1: Swin 1G 29
Wimpole Cl. SN3: Swin 4H 29
Winchcombe Cl. SN5: Swin 1C 26
Winchester Cl. SN3: Stra S 5A 22
Windbrook Mdw. SN3: Stra S 2H 21
Windermere SN3: Swin 5C 30
Windflower Rd. SN25: Swin 1H 19
Windmill Ct. SN5: Swin 5D 26
Windmill Hill Bus. Pk. SN5: Swin 5B 26
Windmill Piece SN4: Chi 6C 34
Windmill Rdbt. SN5: Swin 4C 26
Windrush SN6: High 4E 9
Windrush Rd. SN25: Swin 3B 20
Windsor Rd. SN3: Swin 6F 29
Wingate Pde. SN2: Swin 4B 20
Wingfield SN3: Stra S 1H 21
Wingfield Av. SN2: Swin 6D 12
Winlaw Cl. SN5: Swin 1F 27
Winsley Cl. SN2: Swin 1D 20
Winstanley Cl. SN5: Swin 4D 26
Winterslow Rd. SN2: Swin 1C 20
Winton Rd. SN3: Stra S 2A 22
Winwick Rd. SN5: Swin 4E 27
Wirral Way SN25: Swin 5A 12
Wiseman Cl. SN3: Swin 2D 30
Witfield Cl. SN5: Pur 4B 10
Witham Way SN2: Stra S 2G 21
Witheys, The SN4: Wan 5G 31
Withy Cl. SN4: Woot B 2C 24
Withy Mead Rdbt. SN5: Swin 1F 27
Witts La. SN5: Pur 4B 10
Woburn Cl. SN25: Swin 6A 12
Wolsely Av. SN3: Swin 4G 29

Woodbine Ter. SN3: Swin 6B 30
Woodbury Cl. SN5: Swin 6D 18
Woodchester SN5: Swin 3F 27
Woodcutters M. SN25: Swin 6D 12
Woodford Cl. SN5: Swin 6D 12
WOOD HALL PARK 2F 19
Wood Hall Dr. SN2: Swin 3G 19
Woodhall Pk. Rdbt. SN2: Swin 3G 19
Woodhouse Rd. SN3: Swin 3G 29
Woodland Vw. SN4: Wro 1C 32
WOODSHAW 3F 25
Woodshaw Mead SN4: Woot B 3F 25
Woodside Av. SN5: Swin 3F 29
Woodside Rd. SN3: S Mars 5B 14
Woodsman Rd. SN25: Swin 6C 12
Woodspring Cl. SN3: Swin 5D 28
Woodstock Rd. SN3: Stra S 5B 22
Wood St. SN1: Swin 4E 29
    SN4: Woot B 3C 24
Woolford Grange SN4: Woot B 3F 25
Woollaton Cl. SN5: Swin 3D 26
WOOTTON BASSETT 3C 24
Wootton Bassett Rd.
    SN1: Swin 3A 28 (6A 4)
    SN5: Swin 3H 27
Wordsworth Cl. SN4: Woot B 2E 25
Wordsworth Dr. SN2: Stra S 2G 21
Worlidge Dr. SN5: Swin 1E 27
Worsley Rd. SN5: Swin 4D 26
Wrde Hill SN6: High 5E 9
Wrenswood SN3: Swin 6C 22
Wright Cl. SN25: Swin 4B 12
WROUGHTON 5B 32
Wroughton Bus. Pk. SN4: Wro 3D 32
Wyld Ct. SN25: Swin 4H 11
Wylye Cl. SN25: Swin 2A 20
Wyndham Rd. SN2: Swin 6A 20 (1A 4)
Wynndale Cl. SN3: Stra S 2H 21
Wynwards Rd. SN25: Swin 6B 12
Wyvern Cl. SN1: Swin 6D 28
Wyvern Theatre 4F 5

Y

Yardley Cl. SN2: Swin 4A 20
Yarmouth Cl. SN5: Swin 4E 27
Yarnton Cl. SN5: Swin 6D 18
Yarrow Cl. SN2: Swin 3F 19
Yeats Cl. SN25: Swin 4B 12
Yellowhammer Cl. SN3: Stra S 6B 22
Yeoman Cl. SN5: Swin 1D 26
Yeomans Way SN4: Lidd 3G 35
Yeovil Cl. SN3: Swin 3A 30
Yew Tree Gdns. SN3: S Mars 2D 22
Yiewsley Cres. SN3: Stra S 4A 22
Yonder Way SN4: Wan 5G 31
York Rd. SN1: Swin 3E 29 (5G 5)
    SN15: Lyne .3F 37
Youghal Cl. SN6: Shriv 6E 17

Z

Zoar Cl. SN4: Wro 4B 32

The representation on the maps of a road, track or footpath is no evidence of the existence of a right of way.

The Grid on this map is the National Grid taken from Ordnance Survey mapping with the permission of the Controller of Her Majesty's Stationery Office.